Sir Arthur Conan Doyle

(1859-1930)

Sir Arthur Conan Doyle nasceu em Edimburgo, na Escócia, em 1859. Formou-se em Medicina pela Universidade de Edimburgo em 1885, quando montou um consultório e começou a escrever histórias de detetive. *Um estudo em vermelho*, publicado em 1887 pela revista *Beeton's Christmas Annual*, introduziu ao público aqueles que se tornariam os mais conhecidos personagens de histórias de detetive da literatura universal: Sherlock Holmes e dr. Watson. Com eles, Conan Doyle imortalizou o método de dedução utilizado nas investigações e o ambiente da Inglaterra vitoriana. Seguiram-se outros três romances com os personagens, além de inúmeras histórias, publicadas nas revistas *Strand*, *Collier's* e *Liberty* e posteriormente reunidas em cinco livros. Outros trabalhos de Conan Doyle foram frequentemente obscurecidos por sua criação mais famosa, e, em dezembro de 1893, ele matou Holmes (junto com o vilão professor Moriarty), tendo a Áustria como cenário, no conto "O problema final" (*Memórias de Sherlock Holmes*). Holmes ressuscitou no romance *O cão dos Baskerville*, publicado entre 1902 e 1903, e no conto "A casa vazia" (*A ciclista solitária*), de 1903, quando Conan Doyle sucumbiu à pressão do público e revelou que o detetive conseguira burlar a morte. Conan Doyle foi nomeado cavaleiro em 1902 pelo apoio à política britânica na guerra da África do Sul. Morreu em 1930.

Livros do autor na COLEÇÃO **L&PM** POCKET

Aventuras inéditas de Sherlock Holmes
A ciclista solitária e outras histórias
Um escândalo na Boêmia e outras histórias
O cão dos Baskerville
Dr. Negro e outras histórias
Um estudo em vermelho
A juba do leão e outras histórias
Memórias de Sherlock Holmes
A nova catacumba e outras histórias
Os seis bustos de Napoleão e outras histórias
O signo dos quatro
O solteirão nobre e outras histórias
O vale do terror
O vampiro de Sussex e outras histórias

ARTHUR CONAN DOYLE

O Cão dos Baskerville

Tradução de ROSAURA EICHENBERG

www.lpm.com.br
L&PM POCKET

Coleção **L&PM** POCKET, vol. 90

Texto de acordo com a nova ortografia.

Título original: *The Hound of Baskervilles*

Primeira edição na Coleção **L&PM** POCKET: fevereiro de 1998
Esta reimpressão: abril de 2024

Tradução: Rosaura Eichenberg
Capa: Ronaldo Alves
Revisão: Ruiz Renato Faillace e Ana Teresa Cirne Lima

D754c

Doyle, Arthur Conan, *Sir*, 1859-1930.
   O cão dos Baskerville/ Arthur Conan Doyle; tradução de Rosaura Eichenberg. – Porto Alegre: L&PM, 2024.
   208 p. ; 18 cm. – (Coleção L&PM POCKET; v. 90)

ISBN 978-85-254-0873-0

1. Ficção inglesa-romances policiais. I.Título. II.Série.

            CDD 823.32
            CDU 820-312.4

Catalogação elaborada por Izabel A. Merlo, CRB 10/329.

© da tradução, L&PM Editores, 1998

Todos os direitos desta edição reservados a L&PM Editores
Rua Comendador Coruja, 314, loja 9 – Floresta – 90.220-180
Porto Alegre – RS – Brasil / Fone: 51.3225.5777

PEDIDOS & DEPTO. COMERCIAL: vendas@lpm.com.br
FALE CONOSCO: info@lpm.com.br
www.lpm.com.br

Impresso no Brasil
Outono de 2024

Sumário

1. O Sr. Sherlock Holmes / 9
2. A Maldição dos Baskerville / 17
3. O Problema / 29
4. Sir Henry Baskerville / 40
5. Três Fios Partidos / 54
6. O Solar Baskerville / 66
7. Os Stapleton de Merripit House / 78
8. O Primeiro Relatório do Dr. Watson / 95
9. A Luz na Charneca / 104
10. Trechos do Diário do Dr. Watson / 124
11. O Homem sobre o Morro / 136
12. Morte na Charneca / 151
13. Armando as Redes / 167
14. O Cão dos Baskerville / 179
15. Uma Retrospectiva / 193

Esta história deve sua concepção a meu amigo, o Sr. Fletcher Robinson, que me ajudou a criar tanto a trama geral como os detalhes locais.

                                        A.C.D.

1. O Sr. Sherlock Holmes

O Sr. Sherlock Holmes, que geralmente acordava muito tarde de manhã, exceto naquelas ocasiões não muito infrequentes em que passava toda a noite em claro, estava sentado à mesa do café da manhã. De pé sobre o tapete da lareira, peguei a bengala que nosso visitante esquecera na noite anterior. Era uma bela bengala grossa de madeira, de cabeça bulbosa, do tipo conhecido como "Penang lawyer". Logo abaixo da cabeça, havia uma larga faixa de prata, com quase três centímetros de extensão. "Para James Mortimer, MRCS, de seus amigos do CCH" estava gravado sobre a faixa, com a data "1884". Era bem o tipo de bengala que o velho médico de família costumava carregar – digna, sólida e segura.

– Bem, Watson, o que você acha?

Holmes estava sentado de costas para mim, e eu não lhe dera nenhum indício da minha ocupação.

– Como é que você sabia o que eu estava fazendo? Acho que deve ter olhos na parte detrás da cabeça.

– Tenho pelo menos um bule de café prateado e bem polido na minha frente – disse ele. – Mas diga-me, Watson, o que acha da bengala de nosso visitante? Como tivemos o azar de não encontrá-lo, e não temos ideia da sua missão, esse souvenir acidental adquire importância. Procure reconstruir o homem pelo exame da sua bengala.

– Acho – disse eu, seguindo da melhor maneira possível os métodos de meu companheiro – que o Dr. Mortimer é um velho médico bem-sucedido, e bastante estimado, pois aqueles que o conhecem lhe dão este sinal de sua consideração.

– Muito bom – disse Holmes. – Excelente!

– Também acho que é grande a probabilidade de ser um médico rural que faz muitas das suas visitas a pé.

– Por quê?

– Porque esta bengala, embora fosse originalmente muito bela, tem sido tão malhada que não consigo imaginar que seu dono seja um médico da cidade. O grosso anel de ferro está gasto, é evidente que ele tem andado muito com ela.

– Perfeitamente lógico! – disse Holmes.

– E ainda temos os "amigos do CCH". Imagino que sejam as iniciais de alguma coisa relacionada com o grupo de caça local ao qual ele provavelmente tem prestado assistência cirúrgica, e que em troca lhe deu um pequeno presente.

– Realmente, Watson, você se supera – disse Holmes, recuando a sua cadeira e acendendo um cigarro. – Sou obrigado a dizer que em todas as narrativas que tem tão gentilmente escrito sobre minhas pequenas proezas, você tem subestimado sua própria capacidade. É possível que você não tenha luz própria, mas é um condutor de luz. Sem possuir gênio, algumas pessoas têm um extraordinário poder de estimulá-lo. Confesso, meu caro amigo, que lhe devo muito.

Ele nunca dissera nada parecido antes, e devo admitir que suas palavras me deram um enorme prazer, pois ficara muitas vezes melindrado com a sua indiferença para com a minha admiração e as tentativas que fizera de divulgar os seus métodos. Orgulhava-me também de pensar que tinha aprendido o seu sistema a ponto de aplicá-lo de um modo que merecia sua aprovação. Ele então pegou a bengala das minhas mãos e examinou-a por alguns minutos a olho nu. Depois, com uma expressão de interesse, depôs o cigarro e, levando a bengala para perto da janela, examinou-a novamente com uma lente convexa.

– Interessante, embora elementar – disse ele, quando retornou para o seu canto preferido do canapé. – Há certamente uma ou duas indicações na bengala. Isto nos dá a base para várias deduções.

– Alguma coisa me passou despercebida? – perguntei com um pouco de arrogância. – Espero não ter negligenciado nada de importante.

– Receio, meu caro Watson, que a maioria das suas conclusões estava errada. Quando disse que você me estimula, quis dizer, para ser franco, que, ao notar os seus erros, sou de vez em quando guiado para a verdade. Não que você esteja inteiramente errado neste caso. O homem é certamente um médico rural. E caminha bastante.

– Então eu estava certo.

– A esse respeito.

– Mas isso foi tudo.

– Não, não, meu caro Watson, não foi tudo, não foi absolutamente tudo. Sugiro, por exemplo, que é bem mais provável um médico receber presentes de um hospital do que de um grupo de caça, e que se as iniciais "C C" são colocadas na frente desse hospital, as palavras "Charing Cross" vêm naturalmente à mente.

– Você pode ter razão.

– A probabilidade aponta nessa direção. E se tomamos essa conjetura como hipótese de trabalho, temos uma nova base para começar nossa construção desse visitante desconhecido.

– Bem, nesse caso, supondo que "CCH" signifique "Charing Cross Hospital", que outras inferências podemos tirar?

– Nenhuma se apresenta? Você conhece os meus métodos. Aplique-os!

– Só posso pensar na conclusão óbvia de que o homem exerceu sua profissão na cidade antes de ir para o campo.

– Acho que podemos arriscar um pouco mais que isso. Olhe o caso sob esta luz. Em que ocasião seria mais provável que se oferecesse um presente desse tipo? Quando os amigos se uniriam para lhe dar uma prova de sua boa vontade? Obviamente no momento em que o Dr. Mortimer saiu do serviço do hospital para começar a clinicar por sua própria conta. Sabemos que houve um presente. Acreditamos que houve a mudança de um hospital na cidade para a clínica no campo. Será, portanto, levar nossa inferência longe demais afirmar que o presente foi dado no momento dessa mudança?

– Certamente parece provável.

– Agora, você vai observar que ele não poderia ter feito parte da *equipe* do hospital, pois só um homem com uma clínica bem estabelecida em Londres poderia ocupar tal posição, e um profissional dessa espécie não iria para o campo. O que ele era então? Se trabalhava no hospital, mas não fazia parte da equipe, só poderia ser um cirurgião plantonista ou um médico residente, pouco mais do que um estudante do último ano da universidade. E ele saiu há cinco anos, a data está na bengala. Por isso, o seu grave médico de família de meia-idade se desfaz no ar, meu caro Watson, para dar lugar a um jovem com menos de trinta anos, amável, pouco ambicioso, distraído, e dono de um cachorro de estimação, que eu descreveria aproximadamente como maior que um terrier e menor que um mastim.

Ri sem acreditar, enquanto Sherlock Holmes se recostava no canapé e soprava pequenos anéis oscilantes de fumaça para o teto.

– Quanto à última parte, não tenho meios de verificar se você está correto – disse eu – mas ao menos não é difícil descobrir alguns dados particulares sobre a idade do homem e sua carreira profissional.

Tirei o Catálogo Médico da minha pequena estante de livros de medicina e procurei o nome. Havia vários Mortimer, mas apenas um que poderia ser o nosso visitante. Li o seu registro em voz alta:

"Mortimer, James, MRCS, 1882, Grimpen, Dartmoor, Devon. Cirurgião plantonista, de 1882 a 1884, no Charing Cross Hospital. Recebeu o Prêmio Jackson de Patologia Comparada, com o ensaio intitulado 'A Doença é um atavismo?'. Membro correspondente da Sociedade Sueca de Patologia. Autor de 'Alguns Caprichos do Atavismo' (*Lancet*, 1882), 'Progredimos?' (*Journal of Psychology*, março, 1883). Médico nas paróquias de Grimpen, Thorsley e High Barrow."

– Nenhuma menção ao grupo local de caça, Watson – disse Holmes com um sorriso malicioso – mas um médico rural, como você inteligentemente observou. Acho que minhas inferências foram razoavelmente confirmadas. Quanto aos adjetivos, eu disse, se me lembro bem, amável, pouco ambicioso e distraído. Por experiência, sei que só um homem amável recebe presentes neste mundo, só um pouco ambicioso abandona uma carreira em Londres para se enfurnar no campo, e só um muito distraído deixa a bengala, e não o seu cartão de visita, depois de esperar uma hora em nossa sala.

– E o cachorro?

– Tem o costume de carregar a bengala atrás do dono. Como a bengala é pesada, o cachorro a segura bem firme no meio, e as marcas dos seus dentes são claramente visíveis. A mandíbula do cachorro, exposta no espaço entre essas marcas, é larga demais na minha opinião para ser a de um terrier e não é suficientemente larga para ser a de um mastim. Poderia ser... sim, céus, *é* um spaniel de pelo crespo.

Ele tinha se levantado e caminhado pelo quarto enquanto falava. Parou então no nicho da janela. Havia um tom de convicção tão forte na sua voz que levantei os olhos surpreso.

– Meu caro amigo, como pode ter tanta certeza disso?

– Pela razão muito simples de que estou vendo o cachorro nos degraus de nossa porta, e aí está o toque de campainha do seu dono. Não vá embora, por favor, Watson. Ele é seu colega de profissão, e a sua presença pode me ser útil. Agora é o momento dramático do destino, Watson, quando você escuta o passo na escada que vai entrar na sua vida, mas não sabe se é para o bem ou para o mal. O que o Dr. James Mortimer, o homem da ciência, deseja de Sherlock Holmes, o especialista em crimes? Entre!

A aparição de nosso visitante foi uma surpresa para mim, pois eu tinha esperado um típico médico rural. Ele era um homem muito alto e magro, com um nariz comprido como um bico, que se projetava entre dois olhos cinzentos e alertas, muito juntos um do outro, e cintilando brilhantemente por trás de uns óculos de aro de ouro. Estava vestido de modo profissional, mas um tanto desleixado, pois sua sobrecasaca estava suja e as calças puídas. Embora jovem, as suas longas costas já estavam curvadas e ele caminhava com a cabeça para a frente e com um ar de benevolência curiosa. Quando entrou, seus olhos caíram sobre a bengala na mão de Holmes, e ele correu na sua direção com uma exclamação de alegria.

– Que bom! – disse ele. – Não sabia se a tinha deixado aqui ou na Companhia de Navegação. Não quero perder essa bengala por nada deste mundo.

– Um presente, pelo que vejo – disse Holmes.

– Sim, senhor.

– Do Charing Cross Hospital?

– De um ou dois amigos do hospital por ocasião de meu casamento.

– Ih, meu caro, isso não é nada bom! – disse Holmes, sacudindo a cabeça.

O Dr. Mortimer piscou através de seus óculos um pouco espantado.

– Por que não é bom?

— É que você estragou nossas pequenas deduções. Seu casamento, é o que disse?

— Sim, senhor. Eu me casei, e por isso deixei o hospital, e com ele toda esperança de seguir a carreira. Tive de me estabelecer por conta própria.

— Ora, ora, não estávamos afinal tão longe da verdade – disse Holmes. – E agora, Dr. James Mortimer...

— Doutor não, mas senhor... um humilde MRCS.

— E um homem de mente exata, evidentemente.

— Um cientista amador, Sr. Holmes, um coletor de conchas nas praias do grande oceano desconhecido. Suponho que esteja falando com o Sr. Sherlock Holmes e não...

— Não, este é o meu amigo Dr. Watson.

— Prazer em conhecê-lo, senhor. Tenho ouvido o seu nome mencionado em conexão com o de seu amigo. Você me interessa muito, Sr. Holmes. Não tinha esperado um crânio tão dolicocéfalo, nem uma saliência supraorbitária tão pronunciada. Será que se importaria de eu passar o dedo ao longo da sua fissura parietal? Um molde do seu crânio, senhor, até que se possa dispor do original, seria um ornamento em qualquer museu antropológico. Não quero ser impertinente, mas confesso que cobiço o seu crânio.

Sherlock Holmes fez um gesto para que o nosso estranho visitante se sentasse.

— Pelo visto, você é um entusiasta do seu ramo de conhecimento, senhor, assim como sou do meu – disse ele. – Pelo seu indicador, vejo que faz seus cigarros. Não hesite em acender um.

O homem tirou papel e tabaco do bolso, e enrolou um no outro com uma destreza surpreendente. Tinha dedos longos e trepidantes, tão ágeis e inquietos como as antenas de um inseto.

Holmes estava calado, mas seus rápidos olhares me revelavam o interesse que sentia pelo nosso curioso companheiro.

— Suponho, senhor — disse por fim —, que não tenha sido apenas para examinar o meu crânio que me fez a honra de me procurar ontem à noite e novamente no dia de hoje.

— Não, senhor, não. Embora me alegre de ter tido a oportunidade de fazer também esse exame, vim procurá-lo, Sr. Holmes, porque reconheço que sou um homem muito pouco prático, e porque me vejo de repente diante de um problema muito sério e extraordinário. Reconhecendo, como não deixo de fazer, que é o segundo maior especialista na Europa...

— É mesmo, senhor? Posso lhe perguntar quem tem a honra de ser o primeiro? — perguntou Holmes com alguma aspereza.

— Para o homem de inteligência científica exata, o trabalho de Monsieur Bertillon sempre tem um forte apelo.

— Então não seria melhor consultá-lo?

— Eu disse, senhor, para a inteligência científica exata. Mas na prática, é notório que você não tem rivais. Espero, senhor, que eu não tenha inadvertidamente...

— Só um momento — disse Holmes. — Acho, Dr. Mortimer, que o melhor seria se agora, sem mais rodeios, nos dissesse claramente qual é a natureza exata do problema para o qual demanda minha ajuda.

2. A Maldição dos Baskerville

– Tenho aqui no bolso um manuscrito – disse o Dr. James Mortimer.
– Eu o notei assim que você entrou na sala – disse Holmes.
– É um manuscrito antigo.
– Do início do século XVIII, se não for uma falsificação.
– Como é que pode afirmar tal coisa, senhor?
– Você deixou alguns centímetros expostos ao meu exame durante todo o tempo em que esteve falando. Seria um perito muito ruim aquele que não soubesse dar a data de um documento com uma precisão de décadas. Você talvez tenha lido minha pequena monografia sobre o assunto. Eu proponho 1730 para esse documento.
– A data exata é 1742. – O Dr. Mortimer tirou o manuscrito do bolso interno de seu casaco. – Esse documento de família foi entregue aos meus cuidados por Sir Charles Baskerville, cuja morte repentina e trágica há uns três meses criou tanta comoção em Devonshire. Posso dizer que eu era seu amigo pessoal e também seu médico. Ele era um homem decidido, senhor, sagaz, prático, e tão pouco dado a fantasias quanto eu próprio. No entanto, levava esse documento muito a sério, e sua mente foi preparada exatamente para um fim como o que acabou por atingi-lo.

Holmes estendeu a mão para pegar o manuscrito e alisou-o sobre seu joelho.

– Observe, Watson, o uso alternativo do *s* longo e do *s* curto. É uma das várias indicações que me permitiram fixar a data.

Olhei sobre o ombro dele para o papel amarelado e a escrita desbotada. Na parte superior estava escrito: "Solar Baskerville", e embaixo, com grandes números rabiscados, "1742".

– Parece ser uma espécie de declaração.

– Sim, é a narrativa de uma certa lenda que existe na família Baskerville.

– Mas não é sobre algo mais moderno e prático que você deseja me consultar?

– Muito moderno. Uma questão muito prática e premente, que deve ser decidida dentro de vinte e quatro horas. Mas o manuscrito é curto e está intimamente relacionado com o caso. Com a sua permissão, vou lê-lo para os senhores.

Holmes recostou-se na sua poltrona, uniu as pontas dos dedos e fechou os olhos, com um ar de resignação. O Dr. Mortimer virou o manuscrito para a luz e leu com uma voz alta e crepitante a seguinte narrativa curiosa do mundo antigo:

"São muitos os relatos sobre a origem do cão dos Baskerville, mas como descendo em linha direta de Hugo Baskerville, e como ouvi a história de meu pai, que também a escutou do seu, eu a registro acreditando de todo o coração que ocorreu exatamente como aqui vai narrado. E gostaria que acreditassem, meus filhos, que a mesma Justiça que pune o pecado pode também graciosamente perdoá-lo, e que não existe maldição tão pesada que não possa ser anulada pela prece e pelo arrependimento. Aprendam, portanto, com esta história a não temer os frutos do passado, mas antes a ser prudentes no futuro, para que essas paixões imundas que têm causado sofrimento tão intenso à nossa família não sejam novamente liberadas para nossa desgraça.

"Saibam, portanto, que na época da Grande Rebelião (cuja história registrada pelo douto Lorde Clarendon veementemente lhes recomendo) esta Herdade de Baskerville pertencia a um Hugo desse nome, e não se pode negar que ele era um homem muito violento, profano e ímpio. Isso, na verdade, os seus vizinhos poderiam ter perdoado, uma vez que nunca floresceram santos por estas paragens, mas havia nele uma certa índole lasciva e cruel que tornava seu nome proverbial em toda a região oeste. Ora, acontece que esse Hugo veio a amar (se é que se pode dar um nome tão brilhante a uma paixão tão escura) a filha de um pequeno fazendeiro que tinha terras perto da herdade dos Baskerville. No entanto, como era discreta e de boa reputação, a jovem donzela sempre o evitava, pois temia a sua má fama. Assim, aconteceu que num certo Dia de São Miguel, este Hugo, com cinco ou seis de seus companheiros vadios e malvados, invadiu a fazenda e carregou a donzela, pois o pai e os irmãos da jovem estavam ausentes, como ele bem sabia. Quando a levaram para o Solar, a donzela foi colocada num quarto no andar de cima, enquanto Hugo e seus amigos se acomodavam para uma longa farra como era seu costume todas as noites. Ora, a pobre moça lá em cima estava a ponto de ficar louca com a cantoria, os gritos e as pragas terríveis que subiam do andar de baixo, pois dizem que as palavras usadas por Hugo Baskerville, quando estava bêbado, eram daquelas capazes de fulminar o homem que as emprega. Por fim, na aflição do medo, ela fez o que teria intimidado o mais bravo dos homens de ação, pois com a ajuda da trepadeira que cobria (e ainda cobre) a parede sul, ela desceu do beiral do telhado até o chão e tomou o caminho de casa pela charneca, havendo três léguas entre o Solar e a fazenda de seu pai.

"Acontece que pouco tempo depois Hugo deixou seus convidados para levar comida e bebida – e outras coisas piores, talvez – para a sua cativa, e assim encontrou a gaiola vazia e o pássaro solto. Então, ao que parece, ficou como que possuído pelo demônio, pois descendo as escadas correndo e entrando no salão de jantar, pulou sobre a grande mesa, os jarros e as tábuas de trinchar voando à sua frente, e gritou bem alto diante de todo o grupo que naquela mesma noite entregaria o seu corpo e a sua alma aos Poderes do Mal, se ao menos conseguisse agarrar a rapariga. E enquanto os convivas ficavam aterrorizados com a fúria do homem, um mais malvado, ou talvez mais bêbado que o resto, gritou que deveriam colocar os cães no encalço da donzela. Ao que Hugo saiu correndo da casa, gritando para os criados que deviam selar a sua égua e soltar a matilha, e dando aos cães um lenço da jovem, ele os lançou no seu rastro, e assim à luz da lua começaram a perseguição pela charneca.

"Ora, por algum tempo os convivas ficaram boquiabertos, sem poder compreender tudo o que se fizera com tanta pressa. Mas, pouco depois, suas inteligências embriagadas despertaram para a natureza do ato que parecia estar prestes a ser cometido sobre a charneca. Tudo então se transformou num grande tumulto, alguns gritando pelas suas pistolas, outros pelos seus cavalos, e ainda outros por mais um frasco de vinho. Mas por fim algum senso voltou às suas mentes enlouquecidas, e eles, treze ao todo, montaram nos cavalos e partiram à procura da jovem. A lua brilhava clara no alto, e eles galopavam rapidamente lado a lado, seguindo o caminho que a donzela devia necessariamente ter tomado para chegar à sua casa.

"Já tinham percorrido dois ou três quilômetros, quando passaram por um dos pastores noturnos na charneca, e gritaram-lhe para saber se tinha visto a caçada. E o homem, assim reza a história, estava tão louco de medo que mal podia falar, mas por fim disse que vira realmente a infeliz donzela, com os cães no seu encalço. – Mas vi mais do que isso – disse ele – pois Hugo Baskerville passou por mim na sua égua negra, e atrás dele corria calado um cão dos infernos que oxalá nunca venha atrás de mim.

"Assim os nobres bêbados amaldiçoaram o pastor e continuaram seu caminho. Mas logo se arrepiaram, pois ouviram o som de um galope pela charneca, e a égua negra, salpicada de espuma branca, passou por eles com as rédeas pendentes e a sela vazia. Então os convivas se ajuntaram mais, pois um grande medo se apoderara de seus corações, mas continuaram a seguir pela charneca, embora cada um deles, se estivesse sozinho, tivesse com certeza ficado muito contente de poder virar a cabeça do cavalo. Seguindo lentamente desse modo, encontraram por fim os cães. Embora famosos pela sua bravura e raça, eles estavam ganindo em grupo no alto de um profundo declive ou *goyal*, como o chamamos, alguns se escapulindo, e outros, com o pelo eriçado e os olhos fixos, fitando o vale estreito à sua frente.

"O grupo se detivera, homens mais sóbrios, como podem imaginar, do que no início da cavalgada. A maioria não quis de modo algum ir adiante, mas três deles, os mais ousados ou talvez os mais bêbados, seguiram em frente e desceram pelo declive. Então se abriu a seus olhos um largo espaço onde havia duas dessas grandes pedras, que ainda hoje lá se encontram, assentadas por certos povos esquecidos nos dias de outrora. A lua brilhava sobre a clareira, e ali no centro jazia a infeliz donzela, no lugar em que tombara morta de medo e cansaço. Mas não foi a visão de seu corpo, nem a visão do corpo de Hugo Baskerville ao seu lado que deixou os três pândegos temerários com os cabelos em pé. É que em cima de Hugo, puxando a sua garganta, estava uma coisa hedionda, uma grande besta negra que tinha a forma de um cão, embora fosse maior do que qualquer cão já visto por seres mortais. E bem diante de seus olhos a besta arrancou a garganta de Hugo Baskerville, ao que, quando lhes virou os olhos flamejantes e as mandíbulas gotejantes, os três berraram de medo e saíram cavalgando para salvar a vida, ainda gritando, pela charneca. Diz-se que um deles morreu naquela mesma noite por causa do que tinha visto, e os outros dois foram homens alquebrados pelo resto de seus dias.

"Esta é a história, meus filhos, da origem do cão que se diz ter atormentado tão dolorosamente a família desde então. Se a escrevi, é porque tudo o que se conhece com clareza guarda menos terror do que aquilo que é apenas sugerido e conjeturado. Tampouco se pode negar que muitos membros da família tiveram mortes infelizes, que foram repentinas, sangrentas e misteriosas. Ainda assim, procuremos abrigo na infinita bondade da Providência, que não puniria para sempre o inocente além daquela terceira ou quarta geração indicada na Santa Escritura. Aos cuidados dessa Providência, meus filhos, eu por esse meio os confio, e lhes aconselho que por cautela evitem cruzar a charneca naquelas horas escuras quando os poderes do mal são exaltados.

"(Essa é a declaração de Hugo Baskerville a seus filhos Rodger e John, com instruções para que nada digam a respeito à sua irmã Elizabeth.)"

Quando o Dr. Mortimer acabou de ler essa singular narrativa, ergueu os óculos sobre a testa e fitou o Sr. Sherlock Holmes. Esse bocejou e atirou a ponta do cigarro no fogo.

– Então? – disse ele.

– Você acha interessante?

– Para quem colige contos de fada.

O Dr. Mortimer tirou do bolso um jornal dobrado.

– Agora, Sr. Holmes, vou lhe mostrar algo um pouco mais recente. Este é um exemplar do *Devon Country Chronicle* de 14 de junho deste ano. É um relato curto dos fatos que vieram à tona por ocasião da morte de Sir Charles Baskerville, que ocorreu alguns dias antes dessa data.

Meu amigo se inclinou um pouco para frente e sua expressão se tornou atenta. O nosso visitante recolocou os óculos no lugar e começou:

"A recente morte de Sir Charles Baskerville, que teve o seu nome mencionado para ser o provável candidato liberal por Mid-Devon na próxima eleição, lançou uma nuvem de tristeza sobre todo o condado. Embora Sir Charles tivesse residido no Solar Baskerville por um período relativamente curto, o seu caráter amável e extrema generosidade tinham conquistado o afeto e o respeito de todos os que entraram em contato com ele. Nesses tempos de *nouveaux riches*, é um alívio encontrar um caso em que o herdeiro de uma antiga família do condado, que conheceu tempos difíceis, é capaz de fazer fortuna e retornar com recursos para restaurar a grandeza decaída de sua linhagem. Sir Charles, como se sabe, acumulou grandes somas de dinheiro com especulação na África do Sul. Mais prudente do que aqueles que continuam a arriscar até a sorte se voltar contra eles, Sir Charles converteu seus ganhos em dinheiro e retornou à Inglaterra com sua fortuna. Faz apenas dois anos que ele começou a residir no Solar Baskerville, e todos comentam como eram amplos os planos de reconstrução e melhoramento que foram interrompidos pela sua morte. Não tendo filhos, era seu desejo, publicamente expresso, que durante sua vida toda a região tirasse proveito de sua boa sorte, e muitos terão razões pessoais para lamentar sua morte prematura. Suas doações generosas às obras de caridade locais e do condado foram frequentemente registradas nestas colunas.

"Não se pode dizer que as circunstâncias relacionadas com a morte de Sir Charles tenham sido inteiramente esclarecidas pelo inquérito, mas fez-se pelo menos o bastante para afastar os rumores insuflados pela superstição local. Não há nenhuma razão para suspeitar de crime, nem para imaginar que a morte não tivesse causas naturais. Sir Charles era viúvo, e um homem de quem se podia dizer que tinha, sob certos aspectos, uma mente excêntrica. Apesar de sua considerável fortuna, seus gostos pessoais eram simples, e seus criados domésticos no Solar Baskerville consistiam num casal chamado Barrymore, o marido servindo de mordomo e a mulher de governanta. O depoimento do casal, corroborado pelo de vários amigos, tende a indicar que Sir Charles tinha problemas de saúde há algum tempo, apontando especialmente para uma doença do coração, que se manifestava por mudança de cor, falta de ar e ataques agudos de depressão nervosa. O Dr. James Mortimer, amigo e médico do morto, prestou depoimento semelhante.

"Os fatos do caso são simples. Todas as noites, antes de se recolher, Sir Charles Baskerville tinha o hábito de caminhar pela famosa Aleia dos Teixos do Solar Baskerville. O depoimento dos Barrymore revela que esse era seu costume. No dia 4 de junho, Sir Charles tinha declarado a sua intenção de ir a Londres no dia seguinte, e mandara Barrymore preparar sua bagagem. Naquela noite, saiu como de costume para sua caminhada noturna, durante a qual tinha o hábito de fumar um charuto. Nunca retornou. À meia-noite, quando descobriu a porta do saguão ainda aberta, Barrymore se alarmou e, acendendo uma lanterna, saiu à procura do patrão. O dia fora chuvoso, e as pegadas de Sir Charles podiam ser facilmente rastreadas na aleia. No meio desse caminho, há um portão que abre para a charneca. Havia indicações de que Sir Charles tinha permanecido por algum tempo junto ao portão. Continuou depois sua caminhada, e foi bem no final da aleia que se descobriu o seu corpo. Um fato que não foi explicado é a declaração de Barrymore de que as pegadas de seu patrão se alteraram depois que ele passou pelo portão da charneca, parecendo ter caminhado na ponta dos pés a partir daquele ponto. Naquela noite, um certo Murphy, um cigano negociante de cavalos, andava na charneca a uma distância não muito grande do local, mas parece que estava, como confessou, bastante bêbado. Ele declara ter ouvido gritos, mas é incapaz de afirmar de que direção vinham. Não se descobriram sinais de violência no corpo de Sir Charles, e embora o depoimento do médico assinale uma distorção facial quase incrível, tão grande que a princípio o Dr. Mortimer se recusou a acreditar que era na verdade o seu amigo e paciente que jazia à sua frente, explicou-se que essa distorção é um sintoma não de todo raro em casos de dispneia e morte por insuficiência cardíaca. Essa explicação foi confirmada pelo exame post-mortem, que indicou doença orgânica de longa duração, e o júri de instrução deu o seu veredicto de acordo com a evidência médica. Melhor assim, pois é evidentemente da máxima importância que o herdeiro de Sir Charles se estabeleça no Solar e continue o bom trabalho que foi interrompido de forma tão triste. Se a descoberta prosaica do magistrado encarregado do inquérito não tivesse finalmente acabado com as histórias românticas que têm sido sussurradas em conexão com esse caso, teria sido difícil encontrar um inquilino para o Solar Baskerville. Sabe-se que o parente mais próximo é o Sr. Henry Baskerville, se ainda estiver vivo, filho de um irmão mais moço de Sir Charles Baskerville. A última notícia que se tem do jovem é que vive na América, e estão sendo feitas investigações com o objetivo de informá-lo de sua boa fortuna."

O Dr. Mortimer voltou a dobrar o jornal e colocou-o no bolso.

– Esses são os fatos públicos, Sr. Holmes, em conexão com a morte de Sir Charles Baskerville.

– Devo lhe agradecer – disse Sherlock Holmes – por me chamar a atenção para um caso que certamente apresenta algumas características interessantes. Li em algum jornais um comentário na época, mas estava excessivamente preocupado com o pequeno caso dos camafeus do Vaticano, e na minha ansiedade de servir ao Papa, deixei de acompanhar vários casos ingleses muito interessantes. Você diz que este artigo contém todos os fatos públicos?

– Sim.

– Então me conte os privados. – Recostou-se na poltrona, uniu as pontas dos dedos e assumiu sua expressão mais impassível e imparcial.

– Ao fazê-lo – disse o Dr. Mortimer, que começara a dar sinais de forte emoção – vou lhe contar o que ainda não confiei a ninguém. O meu motivo para não mencionar esses dados no inquérito é que o homem de ciência receia se colocar na posição pública em que pareça estar endossando uma superstição popular. Eu ainda tinha o outro motivo de que o Solar Baskerville, como diz o jornal, ficaria certamente sem inquilino, se qualquer coisa viesse a aumentar a sua reputação já sombria. Por essas duas razões, achei que tinha justificativas para não contar tudo o que sabia, pois minha atitude não teria produzido nenhum bem prático, mas com você não há razão para que eu não seja absolutamente franco.

– A charneca é povoada de forma muito dispersa, e aqueles que moram perto se veem sempre em contato com seus vizinhos. Por essa razão, eu me encontrava bastante com Sir Charles Baskerville. Com exceção do Sr. Frankland, do Solar Lafter, e do Sr. Stapleton, o naturalista, não há outros homens de boa educação em muitos quilômetros. Sir Charles era um homem reservado, mas o acaso de sua doença nos aproximou, e interesses científicos comuns contribuíram para selar a amizade. Ele trouxera informações científicas da África do Sul, e foram muitas as tardes agradáveis que passamos juntos, discutindo a anatomia comparada dos bosquímanos e dos hotentotes.

– Nos últimos meses, percebi com muita clareza que a tensão no sistema nervoso de Sir Charles estava perto do ponto de ruptura. Ele tinha levado essa lenda que lhes li demasiado a sério, tanto assim que, embora caminhasse na sua propriedade, nada o persuadia a sair à noite pela charneca. Por mais incrível que lhe possa parecer, Sr. Holmes, ele estava honestamente convencido de que um destino terrível pairava sobre a sua família, e na verdade as histórias que contava de seus antepassados não eram nem um pouco encorajadoras. A ideia de uma presença terrível o atormentava constantemente, e em mais de uma ocasião me perguntou se, nas minhas visitas noturnas, eu nunca tinha visto alguma criatura estranha ou escutado o latido de um cão. Essa última pergunta, ele me repetiu várias vezes, e sempre com uma voz que vibrava de emoção.

– Lembro-me muito bem de ter ido à sua casa à tarde, umas três semanas antes do acontecimento fatal. Ele estava por acaso junto à porta do saguão. Eu tinha descido do meu cabriolé e estava parado diante dele, quando vi seus olhos se fixarem sobre o meu ombro e fitarem um ponto atrás de mim com uma expressão do horror mais terrível. Eu me virei rapidamente e tive apenas tempo de vislumbrar algo que tomei por um grande bezerro preto passando na ponta do caminho. Tão excitado e alarmado ficou o meu amigo, que fui obrigado a ir até o local por onde o animal passara, para ver se o encontrava. Mas desaparecera, e o incidente parecia ter criado a pior das impressões sobre a mente de Sir Charles. Passei toda a tarde com ele, e foi nessa ocasião, para explicar a emoção que demonstrara, que ele confiou aos meus cuidados a narrativa que lhes li em primeiro lugar. Menciono esse pequeno episódio, porque ele adquire importância em vista da tragédia que se seguiu, mas na época eu estava convencido de que a questão era inteiramente trivial e que a comoção de Sir Charles não tinha razão de ser.

– Foi por recomendação minha que Sir Charles estava para ir a Londres. Eu sabia que seu coração estava doente, e a constante ansiedade em que vivia, por mais quimérica que fosse a causa, estava certamente comprometendo a sua saúde. Achei que alguns meses entre as distrações da cidade o fariam retornar renovado. O Sr. Stapleton, um amigo comum, que estava muito preocupado com o estado de saúde de Sir Charles, tinha a mesma opinião. No último momento, aconteceu esta terrível catástrofe.

– Na noite da morte de Sir Charles, Barrymore, o mordomo que descobriu o corpo, mandou o criado Perkins a cavalo me chamar, e como eu ainda estava acordado, fui capaz de chegar ao Solar Baskerville em menos de uma hora depois do desenlace. Verifiquei e confirmei todos os fatos que foram mencionados no inquérito. Segui as pegadas na Aleia dos Teixos, vi o local junto ao portão da charneca onde ele parece ter se demorado, observei a mudança na forma das pegadas a partir daquele ponto, notei que não havia outras pegadas a não ser as de Barrymore sobre o cascalho fofo, e por fim examinei cuidadosamente o corpo, que não fora mexido até a minha chegada. Sir Charles estava deitado de bruços, os braços abertos, os dedos enterrados no chão, e suas feições estavam distorcidas por uma emoção tão forte que não poderia ter jurado a respeito da sua identidade. Não havia nenhum ferimento no corpo. Mas Barrymore deu uma declaração falsa no inquérito. Disse que não havia rastros no chão ao redor do corpo. É que não observou nenhum. Mas eu vi... estavam a uma pequena distância, porém frescos e claros.

– Pegadas?

– Pegadas.

– De homem ou de mulher?

O Dr. Mortimer olhou estranhamente para nós por um momento, e sua voz se transformou num sussurro, quando respondeu:

– Sr. Holmes, eram as pegadas de um cão gigantesco!

3. O Problema

Confesso que a essas palavras todo o meu corpo estremeceu. Havia um frêmito na voz do médico que indicava que ele próprio estava profundamente comovido com o que nos contava. Holmes inclinou-se para a frente na sua agitação, e seus olhos tinham aquele brilho duro e seco que sempre emitiam, quando estava agudamente interessado.

– Você viu essas pegadas?
– Tão claramente como o estou vendo agora.
– E nada disse?
– De que adiantava?
– Como é que nenhuma outra pessoa as viu?
– As marcas estavam a uns vinte metros do corpo, e ninguém lhes deu atenção. Acho que também não as teria notado, se não conhecesse a lenda.
– Há muitos cães pastores na charneca?
– Sem dúvida, mas não era um cão pastor.
– Você diz que era grande?
– Enorme.
– Mas não chegou perto do corpo?
– Não.
– Que tipo de noite era?
– Úmida e fria.
– Mas não estava chovendo?
– Não.
– Como é a aleia?
– Duas fileiras de sebes de velhos teixos, com uns seis metros de altura e impenetráveis. O caminho entre as fileiras tem cerca de dois metros e meio de largura.

— Existe alguma coisa entre as sebes de teixos e o caminho?

— Sim, há uma faixa de grama de um metro e meio de largura de cada lado.

— Pelo que entendi, a aleia dos teixos é interrompida em certo ponto por um portão?

— Sim, a cancela que abre para a charneca.

— Há alguma outra abertura?

— Não.

— Quer dizer que, para chegar à Aleia dos Teixos, é preciso percorrê-la desde a casa ou então entrar pelo portão da charneca?

— Há uma saída por um pavilhão na outra ponta.

— Sir Charles chegou a alcançar esse pavilhão?

— Não, ele estava a uns cinquenta metros dele.

— Agora me diga, Dr. Mortimer, e isto é importante, as marcas que você viu estavam no caminho? Não estavam na grama?

— Não se viam marcas na grama.

— Estavam no lado do caminho que dá para o portão da charneca?

— Sim, estavam na beira do caminho no mesmo lado do portão da charneca.

— Muito interessante. Outro ponto: a cancela estava fechada?

— Fechada com cadeado.

— Que altura tem?

— Um metro e pouco de altura.

— Então qualquer pessoa podia ter pulado por cima dela?

— Sim.

— E que marcas você viu perto do portão da charneca?

— Nenhuma em particular.

— Meu Deus! Ninguém examinou?

— Sim, eu próprio examinei.

– E não encontrou nada?

– Estava tudo muito confuso. Sir Charles tinha evidentemente se demorado ali por uns cinco ou dez minutos.

– Como é que sabe?

– Porque a cinza de seu charuto tinha caído duas vezes.

– Excelente! Este é um colega, Watson, bem ao nosso gosto. Mas e as marcas?

– Ele deixara suas marcas por todo o pequeno trecho de grama. Não consegui discernir nenhuma outra marca.

Sherlock Holmes bateu a mão no joelho com um gesto de impaciência.

– Ah, se eu tivesse estado no local! – gritou. – É evidentemente um caso de extraordinário interesse, que apresentava imensas oportunidades para o perito científico. Esse caminho de cascalho em que eu poderia ter lido tantas informações já foi a essa altura borrado pela chuva e desfigurado pelos tamancos dos camponeses curiosos. Oh, Dr. Mortimer, Dr. Mortimer, e pensar que não me chamou! Você realmente nos deve explicações.

– Não podia chamá-lo, Sr. Holmes, sem revelar esses fatos ao mundo, e já lhe dei as razões pelas quais não queria revelá-los. Além disso, além disso...

– Por que hesita?

– Há uma área em que o mais inteligente e mais experiente dos detetives nada pode fazer.

– Você quer dizer que o caso é sobrenatural?

– Não foi o que afirmei.

– Não, mas foi o que evidentemente pensou.

– Desde a tragédia, Sr. Holmes, têm chegado aos meus ouvidos vários incidentes que são difíceis de conciliar com a ordem estabelecida da natureza.

– Por exemplo?

– Descobri que antes do terrível desenlace várias pessoas tinham visto uma criatura na charneca, que corresponde a esse demônio dos Baskerville e que não poderia ser nenhum animal conhecido da ciência. Todos concordavam que era uma criatura enorme, luminosa, medonha e fantasmagórica. Interroguei esses homens, um deles era um camponês teimoso, o outro um ferreiro, outro ainda um fazendeiro da charneca, e todos contaram a mesma história sobre essa terrível aparição, que corresponde exatamente ao cão infernal da lenda. Eu lhe asseguro que há um clima de terror no distrito, e que é valente o homem que cruzar a charneca à noite.

— E você, um homem de ciência experiente, acredita que o caso seja sobrenatural?

— Não sei em que acreditar.

Holmes deu de ombros. — Até agora tenho confinado minhas investigações a este mundo — disse. — Tenho combatido o mal com modéstia, mas lutar contra o próprio Pai do Mal seria, talvez, uma tarefa ambiciosa demais. No entanto, você tem de admitir que a pegada é material.

— O cão original foi suficientemente material para arrancar a garganta de um homem, mas era também diabólico.

— Vejo que passou para o lado dos sobrenaturalistas. Mas agora, Dr. Mortimer, diga-me uma coisa. Se tem essa opinião, por que veio me consultar? Você me diz, ao mesmo tempo, que é inútil investigar a morte de Sir Charles e que deseja que eu o faça.

— Não disse que desejo que investigue a morte de Sir Charles.

— Então, como posso ajudá-lo?

— Aconselhando-me sobre o que devo fazer com Sir Henry Baskerville, que chega na estação de Waterloo — o Dr. Mortimer olhou para o seu relógio — exatamente daqui a uma hora e quinze minutos.

— Ele é o herdeiro?

– Sim. Depois da morte de Sir Charles, investigamos esse jovem cavalheiro, e descobrimos que vivia como fazendeiro no Canadá. Pelas informações que recebemos, é um sujeito excelente sob todos os aspectos. Agora não estou falando como médico, mas como curador e executor do testamento de Sir Charles.

– Suponho que não haja nenhum outro pretendente?

– Não. O único outro parente que conseguimos descobrir foi Rodger Baskerville, o caçula dos três irmãos dentre os quais Sir Charles era o mais velho. O segundo irmão, que morreu jovem, é o pai desse rapaz Henry. O terceiro, Rodger, era a ovelha negra da família. Era da antiga estirpe dominadora dos Baskerville, a cópia escrita, é o que dizem, do retrato de família do velho Hugo. Ele transformou a Inglaterra num lugar demasiado perigoso para a sua pessoa, fugiu para a América Central e ali morreu de febre amarela em 1876. Henry é o último dos Baskerville. Dentro de uma hora e cinco minutos, devo encontrá-lo na estação de Waterloo. Recebi um telegrama dizendo que chegou a Southampton hoje de manhã. Agora, Sr. Holmes, o que me aconselha a fazer com ele?

– Por que não deveria ir para a casa de seus antepassados?

– Parece natural, não é mesmo? No entanto, considere que todo Baskerville que vai para o solar acaba vítima do destino. Se Sir Charles tivesse falado comigo antes de sua morte, tenho certeza de que teria me alertado para não levar este rapaz, o último da antiga raça, o herdeiro da sua grande fortuna, para aquele lugar mortal. Por outro lado, não se pode negar que a prosperidade de toda a região pobre e desolada depende da sua presença. Todo o bom trabalho feito por Sir Charles vai cair por terra, se não houver morador no Solar. Receio estar sendo influenciado demais pelo meu óbvio interesse na questão, e por essa razão resolvi trazer o caso para você e pedir o seu conselho.

Holmes meditou por algum tempo. – Em poucas palavras, o caso é o seguinte – disse. – Na sua opinião, há um agente diabólico que torna Dartmoor uma residência pouco segura para um Baskerville. É esta a sua opinião?

– Pelo menos, posso me arriscar a dizer que há alguma evidência nesse sentido.

– Exatamente. Mas se a sua teoria sobrenatural estiver correta, é claro que o jovem poderia se dar mal tanto em Londres quanto em Devonshire. Um demônio com poderes meramente locais, como um conselho paroquial, seria inconcebível.

– Você trata da questão com mais irreverência do que faria, Sr. Holmes, se tivesse tido contato pessoal com os fatos. Assim o seu conselho, se bem o compreendo, é que o jovem estará tão seguro em Devonshire quanto em Londres. Ele chega em cinquenta minutos. O que recomendaria?

– Recomendo, senhor, que tome um carro de aluguel, chame o seu spaniel que está arranhando a minha porta da frente, e siga até Waterloo para receber Sir Henry Baskerville.

– E então?

– E então não lhe diga nada até eu tomar a minha decisão sobre o caso.

– Quanto tempo vai levar para tomar a sua decisão?

– Vinte e quatro horas. Amanhã às dez horas, Dr. Mortimer, terei muito prazer em receber a sua visita, e será uma grande ajuda para meus futuros planos, se trouxer Sir Henry Baskerville junto com você.

– Assim farei, Sr. Holmes.

Rabiscou o encontro no punho da sua camisa e partiu apressado com seu modo estranho, curioso, distraído. Holmes o deteve no alto da escada.

– Apenas mais uma pergunta, Dr. Mortimer. Você diz que antes da morte de Sir Charles Baskerville várias pessoas viram essa aparição na charneca, não é assim?

– Três pessoas a viram.
– Alguma a viu depois da tragédia?
– Não soube de nenhuma.
– Obrigado. Bom dia.

Holmes retornou à sua poltrona com aquele ar quieto de satisfação interior indicativo de que tinha uma tarefa à sua altura pela frente.

– Vai sair, Watson?
– A menos que você precise da minha ajuda.
– Não, meu caro amigo, é na hora da ação que procuro sua ajuda. Mas esse caso é magnífico, realmente único de alguns pontos de vista. Quando passar por Bradley's, peça que me mande uma libra do tabaco barato mais forte, por favor. Obrigado. Seria igualmente um favor, se você achasse conveniente não retornar antes da noite. Então teria muito prazer em comparar as nossas impressões deste problema muito interessante que nos foi apresentado de manhã.

Eu sabia que o isolamento e a solidão eram muito necessários para meu amigo nessas horas de intensa concentração mental em que ele pesava toda partícula de evidência, construía teorias alternativas, contrapunha uma à outra, e decidia quais eram os pontos essenciais e quais eram os insignificantes. Por isso, passei o dia no meu clube e só retornei a Baker Street à noite. Já eram quase nove horas, quando me vi novamente na sala de estar.

Ao abrir a porta, a minha primeira impressão foi que irrompera um incêndio, pois a sala estava tão cheia de fumaça que a luz da lâmpada sobre a mesa se tornara enevoada. Quando entrei, porém, os meus receios foram tranquilizados, pois foram os fumos acres de tabaco barato e forte que me pegaram pela garganta e me causaram um acesso de tosse. Em meio à névoa, tive uma vaga visão de Holmes enfiado no seu chambre e enroscado numa poltrona com seu cachimbo preto entre os lábios. Várias folhas de papel estavam espalhadas ao seu redor.

– Pegou um resfriado, Watson? – disse ele.

– Não, é esta atmosfera envenenada.

– Suponho que *esteja* bastante densa, agora que você a menciona.

– Densa! Está insuportável.

– Abra a janela, então! Você esteve o dia todo no seu clube, pelo visto.

– Meu caro Holmes!

– Não estou certo?

– Sem dúvida, mas como é...?

Ele riu de minha expressão de espanto.

– Há em você uma deliciosa ingenuidade, Watson, que torna um prazer exercitar os pequenos poderes de que disponho às suas custas. Um cavalheiro sai num dia chuvoso e lamacento. Retorna imaculado à noite ainda com brilho no chapéu e nas botas. Esteve portanto num ambiente fechado o dia todo. Não é um homem que tenha amigos íntimos. Então, onde é que poderia ter estado? Não é óbvio?

– Bem, é bastante óbvio.

– O mundo está cheio de coisas óbvias que ninguém jamais observa. Onde é que você acha que eu estive?

– Também dentro de casa.

– Ao contrário, estive em Devonshire.

– Em espírito?

– Exatamente. O meu corpo permaneceu nesta poltrona. E, lamento observar, consumiu na minha ausência dois grandes bules de café e uma incrível quantidade de tabaco. Depois que você saiu, mandei buscar em Stanford's o mapa topográfico dessa porção da charneca, e meu espírito pairou sobre ela o dia todo. Eu me vanglorio de ter conseguido me orientar na região.

– Um mapa de grande escala, imagino?

– Muito grande. – Ele desenrolou uma parte e estendeu-a sobre o joelho. – Aqui está o distrito particular que nos interessa. Isto é, com o Solar Baskerville no meio.

– E um bosque ao redor?

– Exatamente. Acho que a Aleia dos Teixos, embora não esteja marcada com esse nome, deve estar ao longo desta linha, com a charneca, como pode perceber, à sua direita. Este pequeno grupo de edificações é o povoado de Grimpen, onde o nosso amigo Dr. Mortimer tem a sua residência. Num raio de oito quilômetros, como pode perceber, há apenas poucas moradias muito espalhadas. Este é o Solar Lafter, que foi mencionado na narrativa. Há uma casa indicada neste ponto que pode ser a residência do naturalista. Stapleton, se me lembro direito, era o seu nome. Aqui estão duas fazendas da charneca, High Tor e Foulmire. Depois, a vinte e dois quilômetros de distância, a grande prisão de Princetown. Entre esses pontos espalhados e ao seu redor, estende-se a charneca desolada e sem vida. Este é, portanto, o palco onde a tragédia foi encenada, e onde com a nossa ajuda talvez seja reencenada.

– Deve ser um lugar selvagem.

– Sim, o cenário é respeitável. Se o diabo quisesse realmente interferir nos assuntos dos homens...

– Quer dizer que você também está se inclinando para a explicação sobrenatural?

– Os agentes do diabo podem ser de carne e osso, não? De início, há duas questões a serem respondidas. A primeira é se houve crime; a segunda é qual foi o crime e como foi cometido. É claro que, se a suposição do Dr. Mortimer estiver correta, se estivermos lidando com forças alheias às leis comuns da natureza, morre a nossa investigação. Mas somos obrigados a esgotar todas as outras hipóteses antes de recorrer a essa última. Acho que vamos fechar essa janela de novo, se não se importar. É singular, mas acho que uma atmosfera concentrada ajuda a concentração do pensamento. Ainda não cheguei a ponto de entrar numa caixa para pensar, mas esse é o resultado lógico de minhas convicções. Você meditou sobre o caso?

– Sim, pensei bastante sobre esse caso durante todo o dia.

– O que você acha?

– É muito fantástico.

– Tem certamente um caráter próprio. Há alguns pontos característicos. Essa mudança nas pegadas, por exemplo. O que você acha disso?

– Mortimer disse que o homem caminhou na ponta dos pés a partir daquele ponto da aleia.

– Ele apenas repetiu o que algum imbecil disse no inquérito. Por que um homem iria caminhar na ponta dos pés na aleia?

– O que aconteceu com as pegadas então?

– Ele estava correndo, Watson... correndo desesperadamente, correndo para salvar a sua vida, correndo até que seu coração rebentou e ele caiu morto de bruços.

– Correndo do quê?

– Aí reside o nosso problema. Há indicações de que o homem estava enlouquecido de medo antes de começar a correr.

– Como é que você pode saber disso?

– Estou presumindo que a causa de seu medo tenha vindo da charneca. Se assim foi, o que parece muito provável, apenas um homem que perdeu a cabeça teria corrido *da* casa em vez de para o Solar. Se podemos tomar o depoimento do cigano como verdadeiro, Sir Charles correu com gritos de socorro para onde era menos provável que houvesse ajuda. Além disso, quem ele estava esperando naquela noite, e por que estava esperando essa pessoa na Aleia dos Teixos em vez de na sua própria casa?

– Você acha que ele estava esperando alguém?

– O homem era idoso e enfermo. Podemos compreender a sua caminhada noturna, mas o chão estava úmido e a noite inclemente. Seria natural que ele se demorasse na aleia por cinco ou dez minutos, como o Dr. Mortimer, com mais senso prático do que eu teria lhe atribuído, deduziu?

– Mas ele saía todas as noites.

– Acho improvável que se demorasse no portão da charneca todas as noites. Pelo contrário, a evidência é que ele evitava a charneca. Naquela noite, ele esperou naquele ponto. Era a noite antes da sua partida para Londres. A história toma forma, Watson. Torna-se coerente. Por favor, passe-me o violino, e vamos deixar qualquer outro pensamento sobre esse caso para depois que tivermos o privilégio de conversar com o Dr. Mortimer e Sir Henry Baskerville pela manhã.

4. Sir Henry Baskerville

A criada tirou cedo a nossa mesa do café, e Holmes esperava, enfiado em seu chambre, o encontro prometido. Os nossos clientes foram pontuais, pois o relógio acabara de bater as dez horas quando o Dr. Mortimer entrou, seguido pelo jovem baronete. O último era um homem pequeno, alerta e de olhos escuros, aparentando uns trinta anos, de constituição muito resistente, com grossas sobrancelhas pretas e um rosto forte e belicoso. Estava com um terno de *tweed* matizado de vermelho e tinha a aparência curtida de alguém que passou a maior parte da sua vida ao ar livre. Entretanto, havia alguma coisa no seu olhar firme e na segurança quieta de seu porte que indicava nele um cavalheiro.

– Este é Sir Henry Baskerville – disse o Dr. Mortimer.

– Claro – disse ele – e o mais estranho, Sr. Sherlock Holmes, é que se meu amigo não tivesse proposto vir vê-lo hoje de manhã, eu o teria feito por minha própria conta. Sei que decifra pequenos enigmas, e tive a oportunidade de enfrentar um hoje de manhã que requer mais raciocínio do que estou em condições de lhe dar.

– Sente-se, por favor, Sir Henry. Se entendi bem, diz que já teve uma experiência extraordinária desde que chegou a Londres?

– Nada de muita importância, Sr. Holmes. Apenas uma brincadeira, provavelmente. Foi esta carta, se é que se pode chamá-la de carta, que chegou para mim hoje de manhã.

Colocou um envelope sobre a mesa, e nós todos nos curvamos para examiná-lo. Era de qualidade comum, cinzento. O endereço, "Sir Henry Baskerville, Hotel Northumberland", estava impresso com letras grosseiras; a marca do correio era "Charing-Cross", e a data da postagem era da noite anterior.

– Quem sabia que você ia estar no Hotel Northumberland? – perguntou Holmes, olhando penetrantemente para nosso visitante.

– Ninguém poderia saber. Só decidimos ir para esse hotel, depois que me encontrei com o Dr. Mortimer.

– Mas o Dr. Mortimer já estava, sem dúvida, hospedado nesse hotel?

– Não, estava na casa de um amigo – disse o médico. – Não havia nenhuma indicação de que pretendíamos ir para esse hotel.

– Hum! Alguém parece estar profundamente interessado pelos seus movimentos. – Tirou do envelope uma meia folha de papel almaço dobrada em quatro. Na metade, uma única frase fora formada com o expediente de colar palavras impressas. Dizia: "Se você dá valor a sua vida, deve se manter longe da charneca". A palavra "charneca" era a única impressa à tinta.

– Agora – disse Sir Henry Baskerville – por favor me diga, Sr. Holmes, qual é o significado disso, e quem é pelo amor de Deus que está tão interessado pela minha vida?

– O que você acha, Dr. Mortimer? Deve reconhecer, pelo menos, que não há nada de sobrenatural neste envelope.

– Não, senhor, mas a mensagem poderia vir de alguém que está convencido de que o caso é sobrenatural.

– Que caso? – perguntou Sir Henry rispidamente. – Parece-me que todos vocês, cavalheiros, sabem muito mais do que eu sobre meus próprios interesses.

– Você vai ficar sabendo de tudo o que sabemos antes de sair desta sala, Sir Henry. Eu lhe prometo – disse Sherlock Holmes. – No momento, com a sua permissão, vamos nos concentrar neste documento muito interessante, que deve ter sido composto e postado ontem à noite. Você tem o *Times* de ontem, Watson?

— Está aqui no canto.

— Se não for incômodo, poderia me passar... a página do meio com as matérias principais? — Examinou rapidamente a página, correndo os olhos pelas colunas. — Artigo interessante, este aqui, sobre o Livre Comércio. Permitam-me ler um trecho: "Se você dá ouvidos a engambeladores, pode imaginar que seu comércio ou sua indústria serão estimulados por uma tarifa protetora, mas é evidente que tal legislação deve a longo prazo manter longe do país toda a riqueza, diminuir o valor de nossas importações e rebaixar as condições gerais da vida nesta região". O que você acha disso, Watson? — gritou Holmes, com grande alegria, esfregando as mãos de satisfação. — Não acha que é admirável?

O Dr. Mortimer olhou para Holmes com um ar de interesse profissional, e Sir Henry Baskerville virou dois olhos escuros e perplexos para mim.

— Pouco sei sobre tarifas e coisas desse gênero — disse ele —, mas me parece que nos afastamos um pouco da trilha no que diz respeito a essa nota.

— Pelo contrário, acho que estamos particularmente perto do que interessa, Sir Henry. Watson conhece mais os meus métodos do que vocês, mas receio que até mesmo ele ainda não compreendeu o significado dessa frase.

— Não, confesso que não vejo nenhuma conexão.

— No entanto, meu caro Watson, há uma conexão tão íntima que uma frase é tirada da outra. "Se", "você", "dá", "sua", "deve", "manter longe", "valor", "da", "vida". Não percebem agora de onde essas palavras foram tiradas?

— Céus, você tem razão! Ora, se não é inteligente! — gritou Sir Henry.

— Se ainda houvesse qualquer dúvida, é eliminada pelo fato de que "manter longe" está num único pedaço cortado.

– Bem... é verdade!

– Realmente, Sr. Holmes, isso supera tudo o que eu podia imaginar – disse o Dr. Mortimer, olhando para meu amigo com espanto. – Eu compreenderia que alguém dissesse que as palavras eram tiradas de um jornal, mas que você desse o nome do jornal e ainda acrescentasse que as palavras eram da matéria principal é realmente uma das proezas mais fantásticas de que já ouvi falar. Como é que conseguiu?

– Presumo, doutor, que você saberia distinguir entre o crânio de um negro e o de um esquimó.

– Certamente.

– Mas como?

– Porque esse é meu passatempo especial. As diferenças são óbvias. A saliência supraorbitária, o ângulo facial, a curva maxilar, o...

– Mas este é o meu passatempo especial, e as diferenças são igualmente óbvias. Aos meus olhos, há tanta diferença entre os tipos de chumbo de corpo 9 num artigo do *Times* e a impressão desleixada de um jornal da tarde barato quanto entre o seu negro e o seu esquimó. O reconhecimento de tipos é um dos ramos do conhecimento mais elementares para o perito em crimes, embora confesse que certa vez, quando ainda era muito jovem, confundi o *Leeds Mercury* com o *Western Morning News*. Mas um artigo de fundo do *Times* é inteiramente característico, e essas palavras não podiam ser tiradas de nenhum outro lugar. Como a carta foi composta ontem, havia forte probabilidade de que encontrássemos as palavras na edição de ontem.

– Então, pelo que pude entender, Sr. Holmes – disse Sir Henry Baskerville – alguém cortou essa mensagem com uma tesoura...

– Uma tesoura de unhas – disse Holmes. – Você pode ver que era uma tesoura com lâminas muito curtas, pois o autor da mensagem teve de dar dois piques para cortar "manter longe".

– Exatamente. Então, alguém cortou a mensagem com uma tesoura de lâminas curtas, grudou-a com uma cola...

– Uma goma – disse Holmes.

– Com uma goma no papel. Mas quero saber por que a palavra "charneca" tinha de ser escrita?

– Porque ele não conseguiu encontrá-la impressa. As outras palavras são todas muito simples e podem ser encontradas em qualquer edição, mas "charneca" é menos comum.

– Ora, é claro, isso explica. Você leu alguma outra informação nesta mensagem, Sr. Holmes?

– Há uma ou duas indicações, apesar de o autor ter tomado o máximo cuidado para eliminar todas as pistas. O endereço, como pode observar, está escrito com letras grosseiras. Mas *The Times* é um jornal que raramente se encontra nas mãos daqueles que não têm uma boa educação. Podemos assumir, portanto, que a carta foi composta por um homem de boa educação que queria passar por ignorante, e seus esforços para ocultar a sua letra sugerem que você poderia reconhecer ou vir a reconhecer essa letra. Além disso, você pode observar que as palavras não estão coladas numa linha reta, mas que algumas estão mais altas que as outras. "Vida", por exemplo, está bem fora do seu lugar. Isso pode indicar desleixo, ou pode revelar agitação e pressa por parte do autor. De um modo geral, eu me inclino a aceitar a última hipótese, pois a questão era evidentemente importante, sendo improvável que o autor de uma carta dessas não fosse cuidadoso. Se ele estava com pressa, isso nos propõe a questão interessante de saber por que estaria com pressa, pois qualquer carta postada de manhã cedo chegaria às mãos de Sir Henry antes que ele saísse do hotel. O autor da carta temia uma interrupção... e de quem?

– Estamos agora entrando no terreno das conjeturas – disse o Dr. Mortimer.

– Diga, antes, no terreno em que pesamos as probabilidades e escolhemos as que são mais prováveis. É o emprego científico da imaginação, mas sempre temos uma base material como ponto de partida para nossas especulações. Agora, você diria que é uma conjetura, sem dúvida, mas tenho quase certeza de que esse endereço foi escrito num hotel.

– Como é que pode afirmar tal coisa?

– Se você examinar a carta cuidadosamente, verá que tanto a pena como a tinta criaram problemas para o escritor. A pena respingou duas vezes numa única palavra, e ficou seca três vezes num endereço curto, indicando que havia pouca tinta no vidro. Agora, raramente alguém deixa a sua pena ou seu vidro de tinta ficarem nesse estado, e a combinação das duas situações deve ser muito rara. Mas todos sabemos como são a tinta e a pena dos hotéis, onde é raro conseguir qualquer outra coisa. Sim, quase não hesito em afirmar que se pudéssemos examinar as cestas de lixo dos hotéis ao redor de Charing Cross até encontrar os restos mutilados da matéria principal do *Times*, poderíamos pegar a pessoa que enviou essa mensagem singular. Olá! Olá! O que é isto?

Estava examinando cuidadosamente o papel almaço, em que as palavras estavam coladas, segurando-o a apenas três ou cinco centímetros de seus olhos.

– Então?

– Nada – disse ele, atirando-o sobre a mesa. – É uma meia folha de papel em branco, que nem sequer tem uma marca d'água. Acho que já tiramos todas as informações possíveis dessa carta curiosa. E agora, Sir Henry, alguma outra coisa interessante lhe aconteceu desde que chegou a Londres?

– Ora, não, Sr. Holmes. Acho que não.

– Não viu ninguém o seguindo ou vigiando?

– Tenho a impressão de ter entrado bem no clímax de um romance barato – disse nosso visitante. – Céus, por que alguém iria me seguir ou vigiar?

– Vamos chegar a essa questão. Não tem mais nada a nos informar, antes de entrarmos nesse assunto?

– Bem, depende do que você acha digno de ser informado.

– Acho que vale a pena informar qualquer coisa fora da rotina comum da vida.

Sir Henry sorriu. – Ainda pouco conheço a vida britânica, pois passei quase toda a minha vida nos Estados Unidos e no Canadá. Mas espero que perder uma de suas botas não faça parte da rotina comum da vida por aqui.

– Você perdeu uma de suas botas?

– Meu caro senhor – gritou o Dr. Mortimer – está apenas extraviada. Vai encontrá-la, assim que retornar ao hotel. Qual é o sentido de incomodar o Sr. Holmes com trivialidades desse tipo?

– Bem, ele me pediu informações sobre qualquer coisa fora da rotina.

– Exatamente – disse Holmes – por mais tolo que o incidente possa parecer. Então você perdeu uma de suas botas?

– Bem, não sei onde está, pelo menos. Coloquei as duas no lado de fora da minha porta ontem à noite, e só havia uma pela manhã. Não consegui extrair nenhuma informação sensata do camarada que as limpa. O pior é que comprei o par ontem à noite no Strand, e ainda não as usara.

– Se ainda não as usara, por que as colocou junto à porta para serem limpas?

– Eram botas de couro que ainda não tinham sido lustradas. Foi por isso que as coloquei junto à porta.

– Pelo que vejo, ao chegar a Londres ontem, você saiu imediatamente e comprou um par de botas?

– Fiz muitas compras. O Dr. Mortimer me acompanhou. Veja, se vou ser um gentil-homem nessa região, devo me vestir de acordo com o papel, e talvez eu tenha sido um pouco desleixado a esse respeito no Oeste. Entre outras coisas, comprei essas botas marrons, paguei seis dólares pelo par, e me roubaram uma delas antes mesmo de poder calçá-las.

– Parece um roubo singularmente inútil – disse Sherlock Holmes. – Confesso que penso como o Dr. Mortimer, em pouco tempo a bota perdida será encontrada.

– E agora, cavalheiros – disse o baronete com decisão – parece-me que já falei o bastante sobre o pouco que sei. É hora de vocês cumprirem a sua promessa e me darem um relatório completo do que estamos todos investigando.

– O seu pedido é muito razoável – respondeu Holmes. – Dr. Mortimer, acho que o melhor seria que você lhe contasse a história exatamente como nos contou.

Assim estimulado, o nosso amigo científico tirou os seus papéis do bolso e apresentou todo o caso como fizera na manhã anterior. Sir Henry Baskerville escutou com a maior atenção e com uma ou outra exclamação de surpresa.

– Bem, parece que recebi uma herança com uma vingança – disse ele, quando a longa narrativa chegou ao fim. – Claro, ouvi falar desse cão desde criança. É a história predileta da família, embora nunca tenha me passado pela cabeça levá-la a sério. Mas quanto à morte de meu tio... bem, tudo parece estar fervendo na minha mente, e não consigo ver com clareza. Vocês ainda não parecem ter decidido se o caso é para um policial ou para um clérigo.

– Precisamente.

– E agora aparece esta carta endereçada a mim no hotel. Suponho que se ajusta bem à história.

– Parece indicar que alguém sabe mais do que sabemos sobre o que se passa na charneca – disse o Dr. Mortimer.

– E também – disse Holmes – que esse alguém não lhe é hostil, pois o avisa do perigo.

– Ou pode ser que tenha motivos para me assustar e me afastar da região.

– Bem, é claro, isso também é possível. Devo agradecer, Dr. Mortimer, por ter me proposto um problema que apresenta várias alternativas interessantes. Mas o ponto prático que temos de decidir agora, Sir Henry, é se a sua ida para o Solar Baskerville é aconselhável ou não.

– Por que não deveria ir?

– Parece haver perigo.

– Você se refere ao perigo desse demônio familiar ou ao perigo de seres humanos?

– Bem, é isso o que temos de descobrir.

– Seja qual for, a minha resposta já está decidida. Não há diabo no inferno, Sr. Holmes, nem homem sobre a terra que me impeça de ir para a casa de minha família, e pode tomar essa decisão como minha resposta final. – A essas palavras as sobrancelhas escuras se franziram, e o rosto se cobriu de um tom vermelho escuro. Era evidente que o temperamento belicoso dos Baskerville não estava extinto neste seu último representante. – Por outro lado – disse ele – ainda não tive tempo de meditar sobre tudo o que me contaram. É pedir muito de um homem que compreenda a situação e decida o que fazer de uma só vez. Gostaria de ter uma hora tranquila sozinho, para tomar a minha decisão. Veja bem, Sr. Holmes, são onze e meia agora, e devo voltar ao meu hotel. E se você e seu amigo, o Dr. Watson, viessem almoçar conosco às duas? Aí serei capaz de lhes dizer mais claramente qual é a minha impressão de toda essa história.

– Algum inconveniente, Watson?

– Nenhum.

– Então pode nos esperar às duas. Devo chamar um carro de aluguel?

– Prefiro caminhar, pois essa história me deixou nervoso.

– Vou acompanhá-lo na caminhada, com prazer – disse seu companheiro.

– Então nos encontraremos de novo às duas horas. *Au revoir*, e bom dia!

Ouvimos os passos de nossos visitantes descendo a escada e a batida da porta da frente. Num instante, Holmes abandonou a postura do sonhador lânguido para se transformar no homem de ação.

– O seu chapéu e as suas botas, Watson, rápido! Não há tempo a perder! – Entrou correndo no seu quarto de chambre e logo voltou em alguns segundos de sobrecasaca. Descemos correndo a escada e saímos à rua. O Dr. Mortimer e Baskerville ainda estavam visíveis a uns duzentos metros à nossa frente na direção de Oxford Street.

– Devo correr para detê-los?

– Por nada neste mundo, Watson. Estou perfeitamente satisfeito com a sua companhia, se tolerar a minha. Os nossos amigos são sábios, pois é certamente uma bela manhã para uma caminhada.

Apressou o passo até diminuirmos pela metade a distância que nos separava de nossos clientes. Depois, ainda mantendo uma distância de cem metros, seguimos pela Oxford Street e pela Regent Street. Em determinado momento, quando nossos amigos pararam e olharam para uma vitrine, Holmes fez o mesmo. Logo depois deu um pequeno grito de satisfação, e seguindo a direção de seus olhos ansiosos, vi que um cabriolé de aluguel com um homem dentro, que se detivera no outro lado da rua, voltava a se mover lentamente.

– É o nosso homem, Watson! Vamos! Se nada mais podemos fazer, vamos pelo menos dar uma boa olhada nele.

Nesse instante percebi uma barba preta espessa e um par de olhos penetrantes virados para o nosso lado na janela lateral do carro de aluguel. Imediatamente a portinhola no topo se abriu, alguma ordem foi gritada ao cocheiro, e o cabriolé saiu voando loucamente pela Regent Street. Holmes olhou ansiosamente ao redor à procura de outro, mas não havia nenhum desocupado à vista. Então ele se lançou numa louca perseguição pelo meio da corrente do tráfego, mas a vantagem inicial era demasiado grande e logo o carro de aluguel se perdia de vista.

– Essa agora! – disse Holmes amargamente, quando saiu ofegante e branco de contrariedade da maré dos veículos. – Já houve alguma vez tanto azar e tanta incompetência? Watson, Watson, se você é um homem honesto, deve também registrar esse incidente ao lado dos meus sucessos!

– Quem era o homem?

– Não tenho a menor ideia.

– Um espião?

– Bem, pelas histórias que ouvimos, é evidente que alguém estava seguindo Baskerville de perto desde que ele chegou à cidade. De que outro modo poderiam saber tão rapidamente que ele tinha escolhido o Hotel Northumberland? Se o seguiram no primeiro dia, concluí que também o seguiriam no segundo. Talvez tenha observado que fui duas vezes até a janela, enquanto o Dr. Mortimer estava lendo a sua lenda.

– Sim, lembro.

– Estava procurando ociosos na rua, mas não vi ninguém. Estamos lidando com um homem inteligente, Watson. Esse caso é muito misterioso, e apesar de ainda não ter decidido se estamos em contato com uma força benévola ou malévola, estou sempre consciente de seu poder e desígnio. Quando nossos amigos saíram, eu imediatamente os segui na esperança de descobrir seu acompanhante invisível. Tão ladino era o sujeito que não se arriscou a segui-los a pé, mas se muniu de um carro de aluguel, de modo que podia andar devagar atrás deles ou passar correndo pelos dois para evitar que fosse percebido. O seu método tinha a vantagem adicional de que, se tomassem um carro de aluguel, ele já estava preparado para segui-los. Tem, porém, uma desvantagem óbvia.

– Deixa-o à mercê do cocheiro.

– Exatamente.

– Que pena que não pegamos o número!

– Meu caro Watson, por mais trapalhão que tenha sido, você certamente não imagina que eu tenha deixado de pegar o número, não? 2704 é o nosso homem. Mas isso de nada nos adianta no momento.

– Não consigo ver o que mais você poderia ter feito.

– Ao observar o carro de aluguel, deveria ter me virado imediatamente e caminhado na outra direção. Então, com toda a calma, deveria ter alugado um segundo carro e seguido o primeiro a uma distância respeitável ou, melhor ainda, deveria ter ido ao Hotel Northumberland e esperado lá. Quando nosso desconhecido seguisse Baskerville até o hotel, teríamos a oportunidade de lhe aplicar o seu próprio golpe e verificar para onde se dirige. Mas agora, por uma ansiedade indiscreta, que foi aproveitada com extraordinária rapidez e energia pelo nosso adversário, nós nos traímos e perdemos nosso homem.

Tínhamos caminhado lentamente por Regent Street durante essa conversa, e o Dr. Mortimer, com seu companheiro, desaparecera há muito tempo de nossa frente.

– Não há mais razão para acompanhá-los – disse Holmes. – Aquele que os seguia partiu e não vai mais voltar. Devemos ver que outros trunfos temos nas mãos e jogá-los com decisão. Você poderia reconhecer o rosto do homem dentro do carro de aluguel?

– Só poderia reconhecer a barba.

– Eu também... razão pela qual imagino que era provavelmente falsa. Um homem inteligente numa missão tão delicada não usa barba, a não ser para ocultar suas feições. Vamos entrar aqui, Watson!

Entrou numa das agências de mensageiros do distrito, onde foi saudado cordialmente pelo gerente.

– Ah, Wilson. Vejo que não se esqueceu daquele pequeno caso em que tive a boa sorte de ajudá-lo.

– Não, senhor, não me esqueci. Você salvou o meu bom nome e, talvez, a minha vida.

– Meu caro amigo, você exagera. Tenho alguma lembrança, Wilson, de que você tinha entre os seus meninos um rapaz chamado Cartwright, que demonstrou ter bastante talento durante a investigação.

– Sim, senhor, ele ainda está conosco.

– Poderia chamá-lo? Obrigado! E gostaria de trocar esta nota de cinco libras.

Um rapaz de quatorze anos, com uma face viva e inteligente, atendeu ao chamado do gerente. Agora estava parado fitando com grande reverência o famoso detetive.

– Deixe-me ver o Guia dos Hotéis – disse Holmes. – Obrigado! Agora, Cartwright, aqui estão os nomes de vinte e três hotéis nas proximidades de Charing Cross. Está vendo?

– Sim, senhor.

– Você vai visitar cada um desses vinte e três hotéis.

– Sim, senhor.

– Em cada caso, vai começar dando um xelim ao porteiro da entrada principal. Aqui estão vinte e três xelins.

– Sim, senhor.

– Vai lhe dizer que deseja ver o lixo de ontem. Diga que um telegrama importante se extraviou, e que você o está procurando. Compreende?

– Sim, senhor.

– Mas o que você está realmente procurando é a página central de *The Times* com alguns buracos cortados com uma tesoura. Aqui está um exemplar de *The Times*. É esta página. Poderia reconhecê-la facilmente, não?

– Sim, senhor.

– Em cada caso, o porteiro da entrada principal vai chamar o porteiro do saguão, a quem você também dará um xelim. Aqui estão vinte e três xelins. Vai então ficar sabendo que talvez em vinte dos vinte e três casos o lixo do dia anterior já foi queimado ou removido. Nos três outros casos, vão lhe mostrar um monte de papel, e você vai procurar esta página de *The Times* no meio de toda a papelada. É enorme a probabilidade de você não encontrá-la. Aqui estão mais dez xelins em caso de emergência. Mande um telegrama com seu relatório para Baker Street antes da noite. E agora, Watson, só nos resta mandar um telegrama para descobrir a identidade do cocheiro nº 2704 e depois entraremos numa das galerias de pintura de Bond Street para passar o tempo até a hora de nosso compromisso no hotel.

5. Três Fios Partidos

Sherlock Holmes tinha em alto grau o poder de se abstrair, quando assim o desejava. Durante duas horas o estranho caso em que estávamos envolvidos foi como que esquecido, e ele ficou inteiramente absorto nas pinturas dos modernos mestres belgas. Só falou de arte, tema sobre o qual tinha as ideias mais toscas, desde que deixamos a galeria até nos encontrarmos no Hotel Northumberland.

– Sir Henry Baskerville está lá em cima esperando os senhores – disse o funcionário do hotel. – Ele me pediu para fazê-los subir assim que chegassem.

– Você tem alguma objeção a que eu dê uma olhada no registro dos hóspedes? – disse Holmes.

– Nenhuma.

O livro mostrava que dois nomes tinham sido acrescentados depois do nome de Baskerville. Um era o de Theophilus Johnson e família, de Newcastle; o outro era o da Sra. Oldmore e criada, de High Lodge, Alton.

– Este deve ser certamente o mesmo Johnson que eu conheço de longa data – disse Holmes ao porteiro. – Um advogado, não é mesmo? Grisalho e manca um pouco?

– Não, senhor, este é o Sr. Johnson, proprietário de carvão, um cavalheiro muito ativo, não é mais velho que o senhor.

– Você não está enganado a respeito de sua profissão?

– Não, senhor. Ele usa este hotel há muitos anos, é nosso velho conhecido.

– Ah, isso decide a questão. E a Sra. Oldmore também. Acho que me lembro do nome. Desculpe minha curiosidade, mas é que muitas vezes quando se visita um amigo, acaba-se encontrando outro.

– Ela é uma dama inválida, senhor. Seu marido foi outrora prefeito de Gloucester. Ela sempre se hospeda no hotel, quando vem à cidade.

– Obrigado, receio não poder dizer que a conheço. Estabelecemos um ponto muito importante com essas perguntas, Watson – continuou, em voz mais baixa, enquanto subíamos juntos. – Sabemos agora que as pessoas que estão tão interessadas em nosso amigo não se hospedaram no seu hotel. Isso significa que embora estejam, como vimos, muito ansiosas para vigiá-lo, estão igualmente preocupadas em que ele não as veja. Ora, este é um fato muito sugestivo.

– O que sugere?

– Sugere... Ei, meu caro amigo, o que se passa?

Enquanto chegávamos ao topo da escada, tínhamos colidido com o próprio Sir Henry Baskerville. O seu rosto estava rubro de raiva, e ele segurava uma bota velha e poeirenta numa das mãos. Tão furioso estava que mal podia falar, e quando finalmente conseguiu se expressar, foi num dialeto mais ocidental e mais grosseiro do que qualquer frase que dele ouvíramos de manhã.

– Parece que estão me tomando por otário neste hotel – gritou. – Se não tomarem cuidado, vão descobrir que escolheram o homem errado para brincar. Céus, se esse camarada não achar a minha bota, vai haver encrenca. Eu aceito uma brincadeira com a melhor das disposições, Sr. Holmes, mas eles passaram da conta desta vez.

– Ainda está procurando a sua bota?

– Sim, senhor, e pretendo encontrá-la.

– Mas você não disse que era uma bota marrom nova?

– Assim era, senhor. E agora é uma bota preta velha.

– O quê! Você não quer dizer que...?

– É exatamente o que eu quero dizer. Eu tinha três pares de botas neste mundo: a bota nova marrom, a velha preta, e a de verniz que estou usando. Ontem à noite, alguém pegou uma das minhas botas marrons, e hoje me roubaram uma das pretas.

Um agitado criado alemão tinha aparecido na cena.

– Bem, conseguiu encontrá-la? Fale, homem, não fique aí parado me olhando!

– Não, senhor. Investiguei por todo o hotel, mas ninguém soube me dar nenhuma informação.

– Bem, esta bota vai aparecer antes do anoitecer, senão vou falar com o gerente para lhe avisar que estou saindo deste hotel.

– Será encontrada, senhor... Se tiver um pouco de paciência, prometo que será encontrada.

– Cuide para que apareça, pois é o último objeto que vou perder neste covil de ladrões. Bem, bem, Sr. Holmes, vai me desculpar por eu o estar incomodando com um fato tão banal...

– Acho que vale a pena se incomodar com uma coisa dessas.

– Ora, você parece levá-lo bem a sério.

– Como é que você explica o que ocorreu?

– Nem tento explicar. Parece a coisa mais louca e mais estranha que já me aconteceu.

– A mais estranha, talvez – disse Holmes pensativo.

– Qual é a sua opinião a respeito?

– Bem, não afirmo que compreendo. Esse seu caso é muito complexo, Sir Henry. Quando considerado junto com a morte de seu tio, parece-me que dentre todos os quinhentos casos de importância capital de que já me ocupei, não existe nenhum tão misterioso. Mas temos vários fios nas mãos, e a probabilidade é que um ou outro nos levará à verdade. Podemos perder tempo seguindo o fio errado, porém, mais cedo ou mais tarde, devemos chegar ao ponto certo.

Tivemos um almoço agradável, durante o qual pouco se falou do caso que nos reunia. Foi na sala de estar privada a que nos retiramos mais tarde, que Holmes perguntou a Baskerville quais eram as suas intenções.

– Vou para o Solar Baskerville.

– E quando?

– No final da semana.

– De um modo geral – disse Holmes – acho que esta sua decisão é sensata. Tenho muitas evidências de que você está sendo seguido em Londres, e entre os milhões de habitantes desta grande cidade é difícil descobrir quem são essas pessoas ou qual poderia ser o seu objetivo. Se as suas intenções são maldosas, poderiam lhe causar dano, e não teríamos como impedir. Sabia, Dr. Mortimer, que vocês foram seguidos hoje de manhã, quando saíram da minha casa?

O Dr. Mortimer levou um susto. – Seguidos! Por quem?

– Isso, infelizmente, não sei lhe informar. Entre os seus vizinhos ou conhecidos em Dartmoor, existe algum homem com uma barba preta cerrada?

– Não... ou, deixe-me ver... ora, sim, Barrymore, o mordomo de Sir Charles, é um homem que tem uma barba preta e cerrada.

– Ah! Onde está Barrymore?

– Está cuidando do Solar.

– É melhor nos certificarmos de que ele está realmente no Solar, ou se por qualquer eventualidade não poderia estar em Londres.

– Como é que se pode fazer isso?

– Dê-me um formulário do telégrafo. "Está tudo pronto para Sir Henry?" É o que basta. Envie o telegrama ao Sr. Barrymore. Solar Baskerville. Qual é o posto telegráfico mais próximo? Grimpen. Muito bem, mandaremos um segundo telegrama ao chefe do posto, Grimpen: "Telegrama para o Sr. Barrymore, a ser entregue em mãos. Se ausente, favor informar por telegrama Sir Henry Baskerville, Hotel Northumberland". Com isso saberemos, antes do anoitecer, se Barrymore está no seu posto em Devonshire ou não.

– Perfeitamente – disse Baskerville. – Por sinal, Dr. Mortimer, quem é este Barrymore afinal?

– É o filho do velho agente funerário, que já morreu. A família tem cuidado do Solar há quatro gerações. Que eu saiba, ele e sua esposa estão entre os casais respeitáveis do condado.

– Por outro lado – disse Baskerville – é evidente que, na ausência de alguém da família no Solar, essas pessoas têm uma casa muito boa para morar e nada para fazer.

– É verdade.

– Barrymore recebeu alguma doação pelo testamento de Sir Charles? – perguntou Holmes.

– Ele e a esposa receberam cada um quinhentas libras.

– Ah! Eles sabiam que iriam receber essa soma?

– Sim. Sir Charles gostava muito de falar sobre as provisões de seu testamento.

– Muito interessante.

– Espero – disse o Dr. Mortimer – que não olhe com desconfiança para os que receberam um legado de Sir Charles, pois eu também recebi mil libras.

– Verdade! Alguém mais?

– Havia muitas somas insignificantes para indivíduos e um grande número de caridades públicas. Todo o restante ficou com Sir Henry.

– E quanto era o restante?

– Setecentos e quarenta mil libras.

Holmes ergueu as sobrancelhas com ar de surpresa. – Não tinha ideia de que uma soma tão gigantesca estivesse em jogo – disse ele.

– Sir Charles tinha a reputação de ser rico, mas só descobrimos o volume de sua riqueza, quando começamos a examinar seus títulos. O valor total da propriedade chegava perto de um milhão.

– Meu Deus! É uma quantia pela qual um homem bem que poderia entrar num jogo temerário. Mais uma pergunta, Dr. Mortimer. Supondo que alguma coisa acontecesse ao nosso jovem amigo... perdoe-me a hipótese desagradável... quem herdaria a propriedade?

– Como Rodger Baskerville, o irmão caçula de Sir Charles, morreu solteiro, a propriedade iria para os Desmond, que são primos distantes. James Desmond é um clérigo idoso em Westmorland.

– Obrigado. Esses detalhes são todos de grande interesse. Você conhece o Sr. James Desmond?

– Sim. Ele visitou Sir Charles certa vez. É um homem de aparência venerável e vida santa. Lembro que se recusou a aceitar qualquer pensão, apesar da insistência de Sir Charles.

– E este homem de gostos simples seria o herdeiro da fortuna de Sir Charles?

– Ele seria o herdeiro da propriedade, porque ela está vinculada. Também herdaria o dinheiro, se não houvesse nenhuma disposição em contrário do proprietário atual, que pode, é claro, fazer o que quiser com a sua fortuna.

– E você já fez o seu testamento, Sir Henry?

– Não, Sr. Holmes, não fiz. Não tive tempo, pois só ontem é que tomei conhecimento da minha situação. Mas, de qualquer modo, acho que o dinheiro deve acompanhar o título e a propriedade. Essa era a ideia de meu pobre tio. Como é que o proprietário vai restaurar as glórias dos Baskerville, se não tiver dinheiro para manter a propriedade? A casa, a terra e o dinheiro devem ficar juntos.

– Certamente. Bem, Sir Henry, estou de acordo sobre a conveniência de que parta sem demora para Devonshire. Devo tomar apenas uma precaução. Você certamente não deve ir sozinho.

– O Dr. Mortimer retorna comigo.

– Mas o Dr. Mortimer tem de cuidar dos seus pacientes, e a sua casa fica a quilômetros do Solar. Com toda a boa vontade do mundo, talvez seja incapaz de ajudá-lo. Não, Sir Henry, você deve levar alguém junto, um homem de confiança, que estará sempre ao seu lado.

– Seria possível contar com a sua companhia, Sr. Holmes?

– Se houver uma crise, farei todo o possível para estar pessoalmente presente. Mas você compreende que, com a minha enorme clientela e com os apelos constantes que me chegam de muitas regiões, é impossível ausentar-me de Londres por um tempo indefinido. No momento, um dos nomes mais reverenciados na Inglaterra está sendo manchado por um chantagista, e somente eu posso impedir um escândalo desastroso. Espero que entenda como é impossível a minha ida para Dartmoor.

– Quem você recomendaria, então?

Holmes pôs a mão sobre meu braço.

– Se meu amigo se incumbisse da missão, não há homem melhor de se ter ao lado numa situação de aperto. Ninguém pode fazer essa afirmação com mais segurança do que eu.

A proposta me pegou completamente de surpresa, mas antes que tivesse tempo de responder, Baskerville agarrou minha mão e apertou-a com toda a força.

– Bem, é realmente muita bondade sua, Dr. Watson – disse ele. – Você conhece a minha situação, sabe tanto a respeito do caso quanto eu. Se vier para o Solar Baskerville e me ajudar nesse momento difícil, jamais esquecerei.

A promessa de aventura sempre me fascinou, e eu estava lisonjeado com as palavras de Holmes e com a alegria com que o baronete saudou a minha companhia.

– Irei com prazer – disse eu. – Não sei de outra maneira melhor para empregar meu tempo.

– E você vai me informar de tudo com muito cuidado – disse Holmes. – Quando houver uma crise, o que certamente vai ocorrer, vou lhe dizer como deverá agir. Suponho que sábado tudo estará pronto para a viagem, não?

– Essa data seria conveniente para o Dr. Watson?

– Perfeitamente.

– Então sábado, a menos que tenham alguma notícia em contrário, nós nos encontraremos na plataforma do trem das dez horas e meia procedente de Paddington.

Já tínhamos nos levantado para ir embora, quando Baskerville deu um grito de triunfo, e mergulhando num dos cantos da sala tirou uma bota marrom do vão debaixo de um armário.

– Minha bota perdida! – gritou.

– Que todas as suas dificuldades desapareçam tão facilmente! – disse Sherlock Holmes.

– Mas é singular – observou o Dr. Mortimer. – Revistei essa sala cuidadosamente antes do almoço.

– Eu também – disse Baskerville. – Todos os seus cantos.

– Não havia nenhuma bota naquela hora.

– Nesse caso, o criado deve tê-la colocado nesse canto, enquanto estávamos almoçando.

Mandaram chamar o alemão, mas ele asseverou que nada sabia a respeito, e novos interrogatórios também não conseguiram esclarecer a questão. Mais outro item fora acrescentado à série constante e aparentemente sem sentido de pequenos mistérios que se sucediam com tanta rapidez. Pondo de lado toda a história sinistra da morte de Sir Charles, tínhamos uma linha de incidentes inexplicáveis ocorridos no espaço de dois dias, que incluíam a recepção da carta impressa, o espião de barba preta no cabriolé, a perda da bota marrom nova, a perda da bota preta velha, e agora o reaparecimento da bota marrom nova. Holmes ficou em silêncio no carro de aluguel, enquanto voltávamos para

Baker Street, e eu sabia pelas suas sobrancelhas franzidas e rosto alerta que a sua mente, como a minha, estava procurando formar uma trama em que todos esses episódios estranhos e aparentemente desconexos encontrassem seu lugar. Durante toda a tarde e até bem dentro da noite, ele ficou sentado, perdido em tabaco e pensamentos.

Pouco antes do jantar, dois telegramas foram entregues. O primeiro dizia:

"Acabo de saber que Barrymore está no Solar – BASKERVILLE."

O segundo:

"Visitei vinte e três hotéis seguindo suas ordens, mas lamento informar não ter conseguido achar a página cortada do *Times* – CARTWRIGHT."

– Lá se vão dois de meus fios, Watson. Não há nada mais estimulante do que um caso em que tudo está contra você. Devemos procurar outro rastro.

– Ainda temos o cocheiro do carro do espião.

– Exatamente. Passei um telegrama para conseguir o seu nome e endereço no Registro Oficial. Não ficaria surpreso se esta campainha fosse uma resposta à minha pergunta.

O toque na campainha se revelou algo ainda mais satisfatório do que uma resposta, entretanto, pois a porta se abriu e entrou um sujeito de aparência rude que era evidentemente o próprio homem.

– Recebi uma mensagem da agência central que um cavalheiro neste endereço tinha perguntado pelo carro 2704 – disse ele. – Tenho dirigido o meu carro nestes sete anos e nunca recebi uma queixa. Vim direto da Yard para lhe perguntar cara a cara o que tem contra mim.

– Nada tenho contra você, meu bom homem – disse Holmes. – Pelo contrário, eu lhe darei meia libra, se responder com clareza as minhas perguntas.

– Bem, hoje é sem dúvida um bom dia – disse o cocheiro, com um sorriso. – O que deseja saber, senhor?

– Antes de mais nada, o seu nome e endereço, para o caso de eu querer falar com você outra vez.

– John Clayton, 3, Turpey Street, Borough. O meu carro de aluguel é de Shipley's Yard, perto da estação de Waterloo.

Sherlock Holmes tomou nota das informações.

– Agora, Clayton, conte-me sobre o passageiro que veio vigiar esta casa às dez horas da manhã, e mais tarde seguiu os dois cavalheiros por Regent Street.

O homem pareceu surpreso e um pouco embaraçado.

– Ora, não adianta eu lhe contar o que aconteceu, pois você parece saber tanto quanto eu – disse ele. – A verdade é que o cavalheiro me disse que era um detetive, e que eu não devia contar nada para ninguém.

– Meu bom amigo, esta é uma história muito séria, e você pode se ver numa posição bem difícil, se tentar esconder alguma coisa de mim. Você diz que o seu passageiro lhe contou que era um detetive?

– Sim.

– Quando foi que ele lhe disse isso?

– Quando saiu do carro.

– Ele disse mais alguma coisa?

– Mencionou o seu nome.

Holmes me lançou um rápido olhar de triunfo.

– Oh, ele mencionou o seu nome? Foi imprudente. Que nome ele lhe deu?

– O seu nome – disse o cocheiro – era Sr. Sherlock Holmes.

Nunca vi meu amigo mais surpreso do que com essa resposta do cocheiro. Por um instante ficou calado e perplexo. Depois explodiu numa gargalhada:

– Um golpe, Watson... um golpe inegável! – disse ele. – Sinto uma lâmina tão rápida e ágil quanto a minha. Ele me pegou muito bem desta vez. Então o seu nome era Sherlock Holmes?

– Sim, senhor, esse era o nome do cavalheiro.

– Excelente! Diga-me onde você o pegou e tudo o que ocorreu.

– Ele me chamou às nove e meia em Trafalgar Square. Disse que era detetive e me ofereceu dois guinéus se eu fizesse exatamente o que ele mandasse durante todo o dia e não perguntasse nada. Concordei com satisfação. Primeiro fomos para o Hotel Northumberland e ali esperamos até que dois cavalheiros saíram e tomaram um dos carros de aluguel da fila. Seguimos esse carro até ele parar num lugar perto daqui.

– Nesta porta – disse Holmes.

– Bem, não tinha certeza, mas acho que meu passageiro sabia de tudo. Paramos na metade da rua e esperamos uma hora e meia. Depois os dois cavalheiros passaram por nós caminhando, e nós os seguimos por Baker Street e ao longo de...

– Sei – disse Holmes.

– Até descermos uns três quartos de Regent Street. Então o meu cavalheiro abriu a portinhola e gritou que eu deveria seguir direto para a estação de Waterloo o mais rápido possível. Chicoteei a minha égua, e lá estávamos em menos de dez minutos. Ele então me pagou os dois guinéus, como um homem honesto, e entrou na estação. Foi só quando já estava se afastando que ele se virou e disse: "Talvez lhe interesse saber que teve como passageiro o Sr. Sherlock Holmes". Foi assim que fiquei sabendo o nome.

– Compreendo. E você não o viu mais?

– Depois que ele entrou na estação, não.

– E como você descreveria o Sr. Sherlock Holmes?

O cocheiro coçou a cabeça. – Bem, ele não era realmente um homem fácil de descrever. Eu lhe daria uns quarenta anos, altura mediana, três ou cinco centímetros mais baixo que o senhor. Estava vestido como um janota e tinha uma barba preta, quadrada na ponta, e um rosto pálido. Acho que não poderia dizer mais que isso.

– A cor dos olhos?

– Não, não saberia dizer.

– Não se lembra de nada mais?

– Não, senhor, nada.

– Bem, então, aqui está a sua meia libra. Há outra à sua espera, se puder nos trazer mais informações. Boa noite!

– Boa noite, senhor, e obrigado!

John Clayton partiu rindo, e Holmes se virou para mim com um dar de ombros e um sorriso triste.

– Lá se vai o nosso terceiro fio, e acabamos onde começamos – disse ele. – O patife esperto! Ele sabia o nosso número, sabia que Sir Henry Baskerville tinha me consultado, descobriu quem eu era em Regent Street, conjeturou que eu tinha anotado o número do carro e entraria em contato com o cocheiro, por isso me mandou a sua mensagem audaciosa. Vou lhe contar, Watson, desta vez temos um inimigo à nossa altura. Recebi xeque-mate em Londres. Só posso esperar que você tenha mais sorte em Devonshire. Mas não estou muito tranquilo a esse respeito.

– A respeito do quê?

– De mandar você a Devonshire. É um caso feio, Watson, um caso perigoso e feio. Quanto mais o examino, menos gosto do que vejo. Sim, meu caro amigo, pode rir, mas lhe dou a minha palavra que ficarei muito contente em tê-lo de volta são e salvo em Baker Street.

6. O Solar Baskerville

Sir Henry Baskerville e o Dr. Mortimer estavam prontos para a viagem no dia aprazado, e partimos conforme o combinado para Devonshire. O Sr. Sherlock Holmes me levou até a estação e me deu a sua última recomendação e conselho de despedida.

– Não quero predispor a sua mente sugerindo teorias ou suspeitas, Watson – disse ele. – Quero que você simplesmente relate os fatos com a maior objetividade possível, e deixe que eu faço as teorias.

– Que tipo de fatos? – perguntei.

– Qualquer coisa que pareça ter uma conexão, por mais indireta que seja, com o caso, e especialmente as relações entre o jovem Baskerville e seus vizinhos, ou qualquer novo dado a respeito da morte de Sir Charles. Fiz algumas investigações nos últimos dias, mas os resultados foram, receio, negativos. Só uma coisa parece certa, é que esse Sr. James Desmond, o próximo herdeiro, é um cavalheiro idoso de índole amável, por isso a perseguição não parte dele. Acho realmente que podemos eliminá-lo de nossas suposições. Restam as pessoas que moram ao redor de Sir Henry Baskerville na charneca.

– Não seria melhor nos livrarmos em primeiro lugar desse casal Barrymore?

– De modo algum. Não se poderia cometer erro maior. Se eles são inocentes, seria uma injustiça cruel, e se culpados, estaríamos abrindo mão da possibilidade de acusá-los. Não, não, nós os manteremos na nossa lista de suspeitos. Vamos ver, depois temos um criado no Solar, se me lembro bem. Dois fazendeiros na charneca. Temos o nosso amigo

Dr. Mortimer, que acredito ser totalmente honesto, e temos a sua esposa, de quem nada sabemos. Temos este naturalista Stapleton, e temos a sua irmã, que dizem ser uma jovem dama muito atraente. Temos o Sr. Frankland, do Solar Lafter, que é também um fator desconhecido, e temos um ou dois outros vizinhos. Essas são as pessoas que devem ser objeto de um estudo muito especial da sua parte.

– Farei o possível.

– Você tem as suas armas, não?

– Sim, achei que seria melhor levá-las.

– Certamente. Guarde o revólver perto de você noite e dia, e nunca deixe de tomar as suas precauções.

Os nossos amigos já tinham assegurado um vagão de primeira classe, e estavam nos esperando na plataforma.

– Não, não temos nenhuma nova notícia – disse o Dr. Mortimer em resposta às perguntas de meu amigo. – Mas posso lhe garantir uma coisa, não fomos seguidos durante os últimos dois dias. Não saímos sem ficar de olho em tudo o que acontecia ao nosso redor, e ninguém teria nos passado despercebido.

– Imagino que sempre saíram juntos, não?

– Exceto ontem à tarde. Eu em geral reservo um dia para o puro lazer quando venho à cidade, por isso passei a tarde no Museu do Colégio de Cirurgiões.

– E eu fui ver o povo no parque – disse Baskerville. – Mas não tivemos nenhum problema.

– Foi imprudência, mesmo assim – disse Holmes, sacudindo a cabeça com um ar grave. – Eu lhe peço, Sir Henry, não ande por aí sozinho. Uma grande desgraça lhe acontecerá, se não seguir essa recomendação. Conseguiu reaver a sua outra bota?

– Não, senhor, desapareceu para sempre.

– É mesmo? Muito interessante. Bem, adeus – acrescentou, pois o trem começava a deslizar pela plataforma. – Não se esqueça, Sir Henry, de uma das frases naquela antiga e estranha lenda que o Dr. Mortimer nos leu, e evite andar pela charneca nas horas da escuridão quando os poderes do mal são exaltados.

Voltei a olhar para a plataforma quando já a tínhamos deixado para trás e vi a figura alta e austera de Holmes, imóvel, olhando o trem que partia.

A viagem foi rápida e agradável, e aproveitei a ocasião para conhecer melhor os meus dois companheiros e para brincar com o spaniel do Dr. Mortimer. Em poucas horas a terra marrom se tornou avermelhada, o tijolo se transformou em granito, e vacas vermelhas pastavam em campos bem cercados onde a grama viçosa e a vegetação mais luxuriante revelavam um clima mais fecundo, se não mais úmido. O jovem Baskerville olhava ansiosamente para fora da janela e gritava de prazer quando reconhecia as características familiares da paisagem de Devon.

– Andei por uma boa parte do mundo desde que saí desta região, Dr. Watson – disse ele –, mas nunca vi um lugar que se lhe comparasse.

– Nunca encontrei um homem de Devonshire que não fosse fanático pelo seu condado – observei.

– Não depende só do condado, mas também da raça dos homens – disse o Dr. Mortimer. – Um rápido olhar em nosso amigo detecta a cabeça arredondada do celta, que traz dentro de si o entusiasmo e o sentimento de lealdade dos celtas. A cabeça do pobre Sir Charles era de um tipo muito raro, com características metade gaélicas, metade irlandesas. Mas você era muito jovem, quando viu o Solar Baskerville pela última vez, não?

– Era um adolescente na época da morte de meu pai, e nunca vi o Solar, pois ele morava numa pequena casa no campo na costa sul. Dali fui direto para a residência de um amigo na América. Tudo isso é tão novo para mim quanto para o Dr. Watson, e estou ansioso para ver a charneca.

– É mesmo? Então seu desejo vai ser logo satisfeito, pois ali está a sua primeira visão da charneca – disse o Dr. Mortimer, apontando para fora da janela do vagão.

Sobre os quadrados verdes dos campos e a curva baixa de uma mata, elevava-se na distância um morro cinzento e melancólico, com um estranho cume irregular, indistinto e vago na distância, como a paisagem fantástica de um sonho. Baskerville ficou quieto por um longo tempo, os olhos fixos no morro, e li na sua face ansiosa o quanto significava para ele esta primeira visão daquele estranho lugar onde os homens de seu sangue tinham dominado por tanto tempo e deixado sua marca tão profunda. Ali estava ele, com seu terno de *tweed* e seu sotaque americano, no canto de um prosaico vagão de trem, e no entanto, ao olhar para sua face escura e expressiva, eu sentia mais do que nunca o quanto ele era um verdadeiro descendente daquela longa linhagem de homens dominadores, violentos e coléricos. Havia orgulho, bravura e força nas suas sobrancelhas espessas, nas narinas sensíveis e nos grandes olhos castanhos. Se naquela charneca agreste uma aventura difícil e perigosa estivesse à nossa espera, este era pelo menos um camarada por quem se poderia arriscar a vida com a certeza de que ele iria bravamente partilhar o risco.

O trem parou numa pequena estação à beira da estrada, e todos descemos. Lá fora, além da cerca baixa e branca, estava nos esperando uma carruagem com uma parelha de garranos. A nossa chegada era evidentemente um grande acontecimento, pois o chefe da estação e os porteiros se aglomeraram ao nosso redor para carregar a bagagem. Era um centro rural doce e simples, mas fiquei surpreso ao ver que perto do portão estavam dois homens fardados, com uniformes escuros e apoiados nos seus fuzis de cano curto, que nos olharam atentamente quando passamos pelo portão. O cocheiro, um pequeno sujeito torto e de feições duras, saudou Sir Henry Baskerville, e em poucos minutos estávamos correndo velozmente pela estrada larga e branca. As pastagens onduladas ascendiam onduladas nos dois lados, e antigas casas de empenas espiavam por entre a folhagem densa, mas atrás da paisagem pacífica e banhada de sol surgia sempre, escura contra o céu do entardecer, a longa e sombria curva da charneca, quebrada pelos morros recortados e sinistros.

A carruagem virou para entrar numa estrada lateral, e subimos por trilhas escuras gastas por séculos de rodas, com barrancos altos de cada lado, pesados de musgo gotejante e escolopêndrios polpudos. Samambaias amarronadas e espinheiros sarapintados brilhavam à luz do sol poente. Ainda subindo constantemente, passamos por uma ponte estreita de granito e contornamos um riacho ruidoso que se derramava rapidamente, espumando e rugindo entre as pedras cinzentas. Tanto a estrada como o riacho seguiam sinuosos por um vale coberto de carvalhos e abetos. A cada curva Baskerville dava uma exclamação de prazer, olhando ansiosamente ao redor e fazendo inúmeras perguntas. A seus olhos tudo parecia belo, mas para mim um tom melancólico impregnava a paisagem, que tinha tão claramente os sinais do ano que se aproximava do fim. Folhas amarelas atapetavam as trilhas e caíam esvoaçantes sobre nós. O ruído de nossas rodas era abafado por montes de vegetação em decomposição – tristes dádivas, assim me parecia, para a natureza jogar na frente da carruagem do herdeiro dos Baskerville que retornava ao seu lar.

– Ei! – gritou o Dr. Mortimer. – O que é isso?

A curva íngreme de um urzal, um contraforte saliente da charneca, se desenhava à nossa frente. No cume, nítido e claro como uma estátua equestre sobre seu pedestal, estava um soldado montado, escuro e severo, com o rifle já posicionado sobre o antebraço. Estava vigiando a estrada pela qual viajávamos.

– O que significa isto, Perkins? – perguntou o Dr. Mortimer.

Nosso cocheiro meio que se virou no seu assento.

– Um condenado fugiu de Princetown, senhor. Já faz três dias que está solto, e os guardas vigiam toda estrada e toda estação, mas ainda não o encontraram. Os fazendeiros da região não estão gostando, senhor, e isso é um fato.

– Bem, sei que ganham cinco libras por alguma informação.

– Sim, senhor, mas as cinco libras não são nada em comparação a ter a sua garganta cortada. Sabe, ele não é um condenado comum. É um homem que mataria por qualquer coisa.

– Quem é ele?

– É Selden, o assassino de Notting Hill.

Eu me lembrava bem do caso, pois despertara o interesse de Holmes por causa da ferocidade peculiar do crime e da brutalidade gratuita que tinha marcado todas as ações do assassino. A comutação de sua sentença de morte se dera graças a dúvidas quanto à sua sanidade mental, pois sua conduta fora demasiado atroz. A nossa carruagem chegara ao topo de uma elevação, e diante de nós se erguia a imensa extensão da charneca, sarapintada de marcos e picos escabrosos e escarpados. Vinha um vento frio lá de cima que nos fez estremecer. Em algum lugar naquele terreno árido, este homem demoníaco estava à espreita, escondido num buraco como uma besta selvagem, o coração cheio de maldade contra toda a raça que o tinha rejeitado. Só faltava isso para completar o tom sombrio do descampado, o vento frio e o céu em vias de escurecer. Até Baskerville se calou e puxou o casacão mais para junto de si.

Tínhamos deixado para trás a terra fértil lá embaixo. Voltamos a mirá-la então, os raios oblíquos do sol poente transformando os riachos em fios dourados e brilhando sobre a terra vermelha recém-arada e o largo emaranhado das matas. A estrada à nossa frente se tornava cada vez mais desolada e agreste sobre imensas encostas castanho avermelhadas e verdes-oliva. De vez em quando passávamos por uma casa na charneca, com paredes e telhado de pedras, sem nenhuma trepadeira para quebrar seu perfil austero. Mas de repente nossos olhos mergulharam numa depressão em forma de xícara, salpicada de carvalhos e abetos enfezados que tinham sido torcidos e dobrados pela fúria de anos de tempestades. Duas torres altas e estreitas se elevavam sobre as árvores. O cocheiro apontou com seu chicote.

– O Solar Baskerville – disse ele.

O dono do solar se levantara e fitava a paisagem com a face ruborizada e os olhos brilhantes. Alguns minutos mais tarde chegávamos aos portões de entrada, um labirinto de arabescos fantásticos em ferro forjado, com pilares castigados pelo tempo de cada lado, cobertos de líquens e encimados pelas cabeças de javalis dos Baskerville. A casa do porteiro era uma ruína de granito preto e caibros despidos no telhado, mas diante dela estava um novo edifício, construído pela metade, o primeiro fruto do ouro sul-africano de Sir Charles.

Pelo portão entramos na avenida, onde as rodas foram novamente amortecidas entre as folhas, e os ramos das velhas árvores formavam um túnel escuro sobre nossas cabeças. Baskerville estremeceu ao ver o caminho longo e escuro em cuja extremidade a casa tremeluzia como um fantasma.

– Foi aqui? – perguntou em voz baixa.

– Não, não, a Aleia dos Teixos é no outro lado.

O jovem herdeiro olhou ao redor com uma expressão sombria.

– Não é de admirar que meu tio se sentisse ameaçado num lugar como este – disse ele. – É o bastante para assustar qualquer homem. Em seis meses vou mandar instalar uma fileira de lâmpadas elétricas neste caminho, e vocês não vão reconhecê-lo com uma lâmpada Swan e Edison equivalente a mil velas bem na frente da porta do saguão.

A avenida se abriu num largo gramado, e a casa apareceu à nossa frente. À luz fraca pude ver que o centro era um bloco de construção pesado, de onde se projetava um pórtico. Toda a fachada da frente era coberta de trepadeiras, com alguns trechos despidos aqui e ali, onde uma janela ou um brasão irrompia pelo véu escuro. Desse bloco central se elevavam as torres gêmeas, antigas, ameadas e perfuradas por muitas seteiras. À direita e à esquerda dos torreões, havia alas mais modernas de granito preto. Uma luz mortiça brilhava pelas janelas de pinázios pesados, e das chaminés altas que subiam do telhado abrupto de ângulo elevado saía uma única coluna preta de fumaça.

– Bem-vindo, Sir Henry! Bem-vindo ao Solar Baskerville!

Um homem alto saíra da sombra do pórtico para abrir a porta da carruagem. A figura de uma mulher se delineou contra a luz amarela do saguão. Ela veio para fora e ajudou o homem a descarregar nossa bagagem.

– Você não se importa que eu vá logo para casa, Sir Henry? – disse o Dr. Mortimer. – Minha mulher está me esperando.

– Mas você não vai ficar para jantar?

– Não, tenho que ir. Vou provavelmente encontrar algum trabalho à minha espera. Eu ficaria para lhe mostrar a casa, mas Barrymore será melhor guia que eu. Até logo, e não hesite em me chamar de noite ou de dia, se eu puder lhe ajudar.

O ruído das rodas morreu pelo caminho, enquanto Sir Henry e eu entrávamos no saguão, e a porta se fechava pesadamente atrás de nós. Era uma bela sala onde nos encontrávamos, grande, espaçosa e pesadamente encaibrada com imensas vigas de carvalho escurecido pelo tempo. Na grande lareira antiquada atrás dos altos cães de ferro, um fogo de toras crepitava e estalava. Sir Henry e eu estendemos as mãos para o fogo, pois estávamos entorpecidos pela longa viagem. Depois olhamos ao nosso redor para as janelas altas e finas de vitrais antigos, os painéis de carvalho, as cabeças de veado, os brasões nas paredes, tudo indistinto e sombreado à luz fraca da lâmpada central.

– É exatamente como imaginava – disse Sir Henry. – Não é a imagem de uma antiga casa de família? Pensar que nesta mesma sala meus familiares viveram durante quinhentos anos! Sinto-me solene só de pensar.

Vi a sua face escura se iluminar com um entusiasmo de menino, enquanto ele olhava ao redor. A luz batia sobre o lugar em que ele estava, mas longas sombras se espalhavam pelas paredes e pendiam como um dossel preto acima da sua cabeça. Barrymore retornara depois de ter levado a bagagem para os quartos. Ficou parado à nossa frente com os modos submissos de um criado bem treinado. Era um homem de aparência marcante, alto, belo, com uma barba preta quadrada e feições pálidas distintas.

– O senhor quer que o jantar seja servido imediatamente?

– Está pronto?

– Em alguns minutos, senhor. Vão encontrar água quente em seus quartos. Minha mulher e eu ficaremos contentes, Sir Henry, de servi-lo enquanto não tomar novas providências, mas o senhor compreende que, nas novas circunstâncias, esta casa vai requerer o trabalho de uma equipe considerável.

– Que novas circunstâncias?

– Só quis dizer, senhor, que Sir Charles levava uma vida muito retirada, e que éramos capazes de cuidar das suas necessidades. O senhor naturalmente vai querer ter mais companhia, e assim vai precisar fazer mudanças no que diz respeito aos seus criados.

– Quer dizer que você e sua mulher desejam ir embora?

– Só quando for conveniente para o senhor.

– Mas a sua família tem trabalhado conosco há várias gerações, não é assim? Não gostaria de começar a minha vida aqui quebrando uma antiga ligação familiar.

Tive a impressão de discernir sinais de emoção na face branca do mordomo.

– É o que eu e minha mulher também sentimos, senhor. Mas para falar a verdade, senhor, éramos os dois muito ligados a Sir Charles, e a sua morte foi um grande choque, tornou esse lugar muito doloroso para nós. Receio que nunca mais teremos paz no Solar Baskerville.

– Mas o que pretendem fazer?

– Não tenho dúvida, senhor, de que vamos conseguir estabelecer um pequeno negócio. A generosidade de Sir Charles nos deu os meios para realizar esse plano. E agora, senhor, talvez seja melhor levá-los até os seus quartos.

Um balcão quadrado com balaustrada circundava o topo do antigo saguão, e seu acesso se fazia por uma escada dupla. Desse ponto central, estendiam-se dois longos corredores que seguiam por toda a extensão do edifício, para os quais se abriam todas as portas dos quartos de dormir. O meu quarto ficava na mesma ala de Baskerville, quase ao lado do seu. Esses quartos pareciam ser muito mais modernos do que a parte central da casa, e o papel claro e as inúmeras velas ajudaram a apagar a impressão sombria que nossa chegada deixara na minha mente.

Mas a sala de jantar, em que se entrava a partir do saguão, era um lugar de sombras e tristeza. Era uma longa câmara com um degrau separando o estrado em que ficava a família, do espaço inferior reservado para seus dependentes. Numa das extremidades, um balcão de menestréis se elevava acima do ambiente. Vigas pretas se cruzavam acima de nossas cabeças, deixando ver além um teto escurecido pela fumaça. Com fileiras de tochas brilhantes para iluminá-la, e com o colorido e a animação rude de um banquete dos tempos antigos, a sala poderia ter se suavizado. Mas agora, com dois cavalheiros de preto sentados no pequeno círculo de luz criado por uma lâmpada com anteparo, a voz se tornava um sussurro e o ânimo se ressentia do clima opressivo. Uma linhagem indistinta de ancestrais, com todo tipo de vestimenta, desde o cavaleiro elizabetano até o dândi da Regência, nos olhava do alto e nos intimidava com sua companhia silenciosa. Falamos pouco, e eu pelo menos fiquei contente quando terminamos a refeição e passamos à sala de bilhar moderna para fumar um cigarro.

– Por Deus, não é um lugar muito alegre – disse Sir Henry. – Acho possível atenuar esse caráter opressivo, mas sinto que no momento isso está fora de cogitação. Não me admira que meu tio fosse um pouco nervoso, se morava sozinho numa casa dessas. Entretanto, se concordar, vamos nos recolher cedo hoje à noite, e talvez tudo pareça mais alegre pela manhã.

Abri a cortina antes de ir para a cama e olhei para fora da janela. Ela abria para o gramado na frente da porta do saguão. Além, duas moitas de árvores gemiam e balançavam pela ação do vento. Uma meia lua surgia por entre as fendas de nuvens velozes. À sua luz fria vi além das árvores uma fímbria de rochas e a curva longa e pouco elevada da charneca melancólica. Fechei a cortina, sentindo que minha última impressão estava de acordo com o resto.

Mas não foi bem a última impressão. Eu estava cansado mas ainda desperto, virando-me inquieto de um lado para o outro, procurando o sono que não vinha. Ao longe um relógio batia os quartos de hora, mas fora isso um silêncio mortal envolvia a velha casa. Então de repente, na calada da noite, chegou aos meus ouvidos um som claro, ressoante e inconfundível. Eram os soluços de uma mulher, o arquejar abafado e sufocado de alguém dilacerado por uma dor incontrolável. Sentei-me na cama e escutei com atenção. O ruído não podia vir de muito longe, vinha certamente da casa. Esperei meia hora com todos os nervos em alerta, mas não escutei nenhum outro som a não ser o relógio batendo os quartos de hora e o roçar da trepadeira na parede.

7. Os Stapleton de Merripit House

A beleza renovada da manhã seguinte contribuiu para apagar de nossas mentes a impressão sombria e cinzenta que a primeira experiência no Solar Baskerville deixara em nós dois. Quando Sir Henry e eu nos sentamos para tomar o café da manhã, a luz do sol jorrava pelas altas janelas de pinázios, formando manchas diluídas de cor por causa dos brasões que as cobriam. Os painéis escuros brilhavam como bronze nos raios dourados, e era difícil compreender que esta era na verdade a sala que nos parecera tão triste na noite anterior.

— Acho que a culpa foi nossa e não da casa! – disse o baronete. – Estávamos cansados da viagem e enregelados pelo longo percurso de carruagem, por isso tivemos uma impressão cinzenta do lugar. Agora estamos refeitos e de bem com a vida, assim está tudo de novo alegre.

— No entanto, não foi inteiramente uma questão de imaginação – respondi. – Por exemplo, você por acaso não escutou alguém, acho que uma mulher, soluçando à noite?

— Curioso, pois quando estava meio adormecido, achei realmente que tinha escutado algo parecido. Esperei algum tempo, mas o som não se repetiu, por isso concluí que era um sonho.

— Eu escutei com bastante clareza, e estou certo de que eram realmente os soluços de uma mulher.

— Devemos perguntar sobre isso imediatamente.

Tocou a campainha e perguntou a Barrymore se ele tinha alguma explicação para a nossa experiência. Tive a impressão de que as feições pálidas do mordomo se tornaram ainda mais pálidas, enquanto escutava a pergunta de seu patrão.

– Há somente duas mulheres na casa, Sir Henry – respondeu. – Uma é a copeira, que dorme na outra ala. A outra é a minha esposa, e posso asseverar que os soluços não partiram dela.

Mas ele mentia ao fazer essa afirmação, pois encontrei por acaso a Sra. Barrymore depois do café da manhã no longo corredor, com o sol batendo em cheio sobre a sua face. Ela era uma mulher grande, impassível e de feições marcadas, com uma boca de expressão decidida e severa. Mas seus olhos delatores estavam vermelhos e me examinaram por entre pálpebras inchadas. Era ela, portanto, que chorava à noite, e se ela chorava, seu marido devia saber. Mas ele preferira assumir o risco óbvio de ser descoberto, declarando que ela não chorava. Por que o negava? E por que ela chorava tão amargamente? Em torno desse homem bonito, de rosto pálido e barba preta já estava se formando uma atmosfera de mistério e tristeza. Fora ele o primeiro a descobrir o corpo de Sir Charles, e tínhamos apenas a sua palavra a respeito de todas as circunstâncias que levaram à morte do velho. Seria possível que tivesse sido Barrymore, afinal, aquele homem que tínhamos visto no carro de aluguel em Regent Street? A barba bem que poderia ser a mesma. O cocheiro tinha descrito um homem um pouco mais baixo, mas esse tipo de impressão pode ser facilmente equivocada. Como eu poderia decidir a questão de uma vez por todas? Evidentemente a primeira coisa a fazer era visitar o agente do correio de Grimpen, e descobrir se o telegrama de teste fora realmente entregue nas mãos de Barrymore. Fosse qual fosse a resposta, eu pelo menos teria algo a relatar para Sherlock Holmes.

Sir Henry tinha muitos documentos a examinar depois do café da manhã, de modo que o momento era propício para a minha excursão. Uma caminhada agradável de seis quilômetros ao longo da beirada da charneca me levou a um pequeno povoado cinzento, onde duas construções maiores, que vieram a ser a estalagem e a casa do Dr. Mortimer, se elevavam acima do resto. O agente do correio, que também era o merceeiro da vila, tinha uma lembrança bem clara do telegrama.

– Sem dúvida, senhor – disse ele –, mandei o telegrama ser entregue ao Sr. Barrymore exatamente conforme solicitado.

– Quem o entregou?

– O meu filho. James, você não entregou aquele telegrama para o Sr. Barrymore no Solar na semana passada?

– Sim, pai, entreguei.

– Em mãos? – perguntei.

– Bem, ele estava no sótão naquela hora, por isso não entreguei o telegrama nas suas mãos, mas eu o entreguei nas mãos da Sra. Barrymore, e ela prometeu entregá-lo imediatamente.

– Você viu o Sr. Barrymore?

– Não, senhor, eu disse que ele estava no sótão.

– Se você não o viu, como sabe que ele estava no sótão?

– Bem, a sua mulher devia certamente saber onde ele estava – disse o agente do correio irritado. – Ele não recebeu o telegrama? Se houve algum erro, o Sr. Barrymore é que tinha de fazer a queixa.

Parecia inútil insistir no interrogatório, mas estava claro que apesar do estratagema de Holmes não tínhamos prova de que Barrymore não estivera em Londres o tempo todo. Supondo que assim fosse – supondo que fora o mesmo homem o último a ver Sir Charles vivo e o primeiro a perseguir o novo herdeiro no seu retorno à Inglaterra. E daí? Ele seria o agente de outros, ou teria algum objetivo sinistro próprio? Que interesse podia ter em perseguir a família Baskerville? Pensei no estranho aviso recortado do artigo de fundo de *The Times*. Seria obra sua, ou talvez a obra de alguém decidido a contrariar os seus planos? O único motivo imaginável era o que fora sugerido por Sir Henry, que se o medo mantivesse a família longe do Solar, os Barrymore teriam assegurada uma casa confortável e permanente. Mas uma explicação dessas certamente não seria adequada para justificar a intriga profunda e sutil que parecia estar se tecendo ao redor do jovem baronete. O próprio Holmes tinha dito que não encontrara nenhum outro caso mais complexo em toda a longa série de suas investigações sensacionais. Enquanto caminhava de volta ao longo da estrada cinzenta e solitária, rezava para que meu amigo se liberasse logo de suas preocupações e pudesse vir tirar essa carga pesada de responsabilidade dos meus ombros.

De repente meus pensamentos foram interrompidos pelo som de alguém correndo atrás de mim e por uma voz que me chamou pelo nome. Eu me virei, esperando encontrar o Dr. Mortimer, mas para minha surpresa era um desconhecido que procurava me alcançar. Era um homem pequeno, magro, de rosto barbeado e afetado, cabelos claros e queixo fino, entre os trinta e os quarenta anos, com um terno cinza e um chapéu de palha. Uma caixa de lata para espécimens botânicos pendia do seu ombro, e ele carregava uma rede verde de caçar borboletas numa das mãos.

– Vai desculpar o meu atrevimento, Dr. Watson – disse ele, quando chegou ofegante perto de mim. – Aqui na charneca somos gente simples e não esperamos as apresentações formais. Você talvez tenha ouvido o meu nome mencionado pelo nosso amigo comum, o Dr. Mortimer. Sou Stapleton, de Merripit House.

– A sua rede e a sua caixa me teriam revelado a sua identidade – disse eu – pois sabia que o Sr. Stapleton era naturalista. Mas como me reconheceu?

– Eu estava de visita na casa de Mortimer, e quando você passou, ele me apontou a sua figura da janela do seu consultório. Como o nosso caminho vai na mesma direção, tive a ideia de alcançá-lo e me apresentar. Espero que Sir Henry não tenha sofrido com a viagem.

– Ele está muito bem, obrigado.

– Estávamos todos com medo que, depois da triste morte de Sir Charles, o novo baronete se recusasse a viver aqui. É pedir muito de um homem rico que venha se enterrar num lugar como este, mas não preciso lhe dizer o quanto isso significa para a região. Espero que Sir Henry não tenha medos supersticiosos a respeito da charneca.

– Não acho provável.

– Você conhece, é claro, a lenda do cão demoníaco que assombra a família?

– Já ouvi falar.

– É extraordinário como os camponeses são crédulos por aqui! Qualquer um deles está disposto a jurar que viu uma criatura desse tipo na charneca. – Ele falava com um sorriso, mas me pareceu ler nos seus olhos que levava o tema mais a sério. – A história influenciou a imaginação de Sir Charles, e não tenho dúvida de que provocou o seu final trágico.

– Mas como?

– Os seus nervos estavam tão tensionados que a aparição de qualquer cachorro teria causado um efeito fatal sobre seu coração doentio. Acho que ele realmente viu alguma coisa parecida naquela última noite na Aleia dos Teixos. Eu temia que algum desastre ocorresse, pois gostava muito do velho, e sabia que seu coração estava fraco.

– Como é que você sabia?

– O meu amigo Mortimer tinha me dito.

– Você acha então que um cachorro perseguiu Sir Charles, e que ele morreu de susto por causa disso?

– Você tem alguma explicação melhor?

– Não cheguei a nenhuma conclusão.

– O Sr. Sherlock Holmes chegou a alguma conclusão?

As palavras me tiraram o fôlego por um momento, mas vendo a face plácida e os olhos firmes de meu companheiro, compreendi que não havia intenção de surpreender-me.

– É inútil fingir que não o conhecemos, Dr. Watson – disse ele. – As façanhas de seu detetive chegaram até nós, e você não podia celebrá-lo sem ficar também conhecido. Quando Mortimer me disse o seu nome, não pôde negar a sua identidade. Se você está por aqui, é que o Sr. Sherlock Holmes está interessado na questão, e tenho curiosidade de saber qual seria a sua visão sobre o caso.

– Receio não poder responder essa pergunta.

– Posso saber se ele vai nos honrar com uma visita?

– Ele não pode deixar a cidade no momento. Tem outros casos que exigem a sua atenção.

– Que pena! Ele poderia lançar alguma luz sobre o que é tão obscuro para nós. Mas quanto às suas próprias pesquisas, se eu puder lhe ajudar de alguma maneira, espero que disponha de meus serviços. Se eu tivesse alguma indicação quanto à natureza das suas suspeitas, ou de como você pretende investigar o caso, poderia talvez até lhe dar alguma ajuda ou conselho.

– Eu lhe asseguro que estou aqui simplesmente de visita a meu amigo, Sir Henry, e que não preciso de nenhum tipo de ajuda!

– Excelente! – disse Stapleton. – Você tem razão em ser cuidadoso e discreto. Sou justamente repreendido pelo que sinto ter sido uma intromissão injustificável, e prometo que não voltarei a mencionar a questão.

Tínhamos chegado a um ponto onde um caminho estreito de grama se desviava da estrada e seguia sinuoso pela charneca. À direita se erguia um morro abrupto e salpicado de penedos, que em dias remotos tinha sido cortado para criar uma pedreira de granito. A encosta virada para o nosso lado formava um penhasco escuro, com samambaias e silvas crescendo nos seus nichos. De uma elevação distante saía flutuando uma pluma cinzenta de fumaça.

– Uma caminhada moderada por esse caminho da charneca nos leva a Merripit House – disse ele. – Se você tiver uma hora livre, terei o prazer de lhe apresentar minha irmã.

Meu primeiro pensamento foi que eu deveria estar ao lado de Sir Henry. Mas depois me lembrei da pilha de papéis e contas que entulhavam a sua mesa no estúdio. Eu certamente não poderia ajudá-lo nessa tarefa. E Holmes tinha me dito expressamente para estudar os vizinhos na charneca. Aceitei o convite de Stapleton, e descemos juntos pelo caminho.

– É um lugar maravilhoso, a charneca – disse ele, olhando ao redor as pastagens ondulantes, longas ondas verdes, com cristas de pedra recortada arrebentando como espuma e formando vagas fantásticas. – Você nunca se cansa da charneca. Não consegue imaginar os segredos maravilhosos que ela contém. É tão vasta, tão árida e tão misteriosa.

– Você a conhece bem então?

– Estou aqui há apenas dois anos. Os residentes me chamariam de recém-chegado. Vim para cá pouco depois que Sir Charles se estabeleceu no Solar. Mas meus interesses me levaram a explorar todos os recantos da região, e acho que são poucos os homens que a conhecem melhor que eu.

– É assim tão difícil conhecê-la?

– Muito difícil. Olhe, por exemplo, aquela grande campina ao norte, com os morros esquisitos irrompendo de sua superfície. Você nota alguma coisa especial nela?

– Seria um ótimo lugar para um bom galope.

– É o que se pensaria, e esse pensamento já custou a vida de muitas pessoas. Está vendo aquelas manchas verdes brilhantes espalhadas por todo o lugar?

– Sim, parecem mais férteis que o resto.

Stapleton riu. – É o grande atoleiro de Grimpen – disse ele. – Um passo em falso significa morte para o homem ou para o animal. Ainda ontem vi um pônei da charneca entrar ali por acaso. Nunca retornou. Durante muito tempo vi a sua cabeça esticada para fora do atoleiro, mas foi tragado por fim. Até nas estações secas é um perigo atravessá-lo, mas depois dessas chuvas de outono torna-se um lugar terrível. Apesar disso, sei como fazer para chegar até o seu centro e retornar a salvo. Por Deus, lá vai outro desses pôneis infelizes!

Alguma coisa marrom estava rolando e se debatendo entre os carriços verdes. Depois um pescoço longo, torturado e contorcido se lançou para o alto e um grito terrível ecoou pela charneca. Senti um calafrio de horror, mas os nervos de meu companheiro pareciam ser mais fortes que os meus.

– Foi-se! – disse ele. – O atoleiro o pegou. Dois em dois dias, e muitos mais, talvez, pois eles se acostumam a entrar por ali no tempo seco, e só percebem a diferença quando o atoleiro já os tem nas suas garras. É um lugar ruim, o grande atoleiro de Grimpen.

– E você diz que consegue penetrá-lo?

– Sim, há um ou dois caminhos que um homem muito ágil pode tomar. Eu os descobri.

– Mas por que você desejaria entrar num lugar tão horrível?

– Bem, está vendo os morros além? São na verdade ilhas cercadas pelo atoleiro intransponível que se alastrou ao seu redor com o passar dos anos. Ali é que estão as plantas e as borboletas raras, se você for esperto e souber alcançá-las.

– Vou tentar a sorte qualquer dia.

Ele me olhou com um rosto surpreso. – Pelo amor de Deus, tire essa ideia da cabeça – disse. – Seu sangue ficaria nas minhas mãos. Eu lhe asseguro que não haveria a menor chance de você voltar vivo. É só me lembrando de certos marcos complexos que consigo encontrar meu caminho.

– Ei! – gritei. – O que é isso?

Um gemido longo e baixo, indescritivelmente triste, percorreu a charneca. Impregnou todo o ar, mas era impossível dizer de onde vinha. De um murmúrio abafado aumentou para um rugido grave, e depois voltou a diminuir para um murmúrio melancólico e arquejante. Stapleton me olhou com uma expressão curiosa no rosto.

– Lugar esquisito, a charneca! – disse ele.

– Mas o que é isso?

– Os camponeses dizem que é o cão dos Baskerville chamando a sua vítima. Já escutara esse som uma ou duas vezes antes, mas nunca tão alto.

Com um calafrio de medo no coração, olhei para a imensa campina arqueada, salpicada com as manchas verdes dos juncos. Nada se mexia na vasta extensão de terra exceto um par de corvos, que grasniam alto de um pico rochoso atrás de nós.

– Você é um homem culto. Certamente não acredita nesse disparate – disse eu. – O que você acha que seja a causa de um som tão estranho?

– Às vezes os atoleiros produzem sons esquisitos. É a lama se acomodando, a água subindo, ou alguma coisa assim.

– Não, não, era a voz de um ser vivo.

– Bem, talvez fosse. Você já escutou um abetouro gritar?

– Não, nunca.

– É um pássaro muito raro, praticamente extinto na Inglaterra, mas tudo é possível na charneca. Sim, não ficaria surpreso se o que escutamos fosse o grito do último dos abetouros.

– Foi o som mais esquisito e estranho que já escutei em toda a minha vida.

– Sim, é um lugar bastante incomum. Olhe para aquela encosta mais além. O que você acha daquilo?

Toda a encosta íngreme estava coberta com círculos cinzentos de pedra, uns vinte pelo menos.

– O que são esses círculos? Cercados para ovelhas?

– Não, são os lares de nossos ilustres ancestrais. O homem pré-histórico vivia em grande número na charneca, e como ninguém em particular tem vivido na charneca desde então, encontramos todas as suas acomodações exatamente como ele as deixou. São os seus barracos sem os telhados. Se tiver a curiosidade de entrar, pode até ver a lareira e a cama.

– Mas é uma cidade. Quando foi habitada?

– Homem neolítico... sem data.

– O que ele fazia?

– Levava o seu gado para pastar nas encostas, e aprendeu a cavar para extrair estanho, quando a espada de bronze começou a suplantar o machado de pedra. Olhe para o grande fosso no morro oposto. É marca sua. Sim, vai descobrir pontos muito singulares sobre a charneca, Dr. Watson. Oh, desculpe-me um instante. É certamente um ciclopides.

Uma pequena mosca ou mariposa tinha esvoaçado pelo nosso caminho, e num instante Stapleton estava correndo com extraordinária energia e velocidade na sua perseguição. Para minha aflição, a criatura voou direto para o grande atoleiro, mas o meu conhecido não titubeou, pulando de tufo em tufo atrás do inseto, a rede verde ondulando no ar. As suas roupas cinzentas e o seu avanço ziguezagueante, irregular e aos saltos também o tornavam bastante semelhante a um enorme inseto. Eu estava parado observando a sua perseguição com uma mistura de admiração pela sua extraordinária agilidade e medo de que perdesse o pé no atoleiro traiçoeiro, quando ouvi o som de passos e, virando-me, vi uma mulher perto de mim no caminho. Ela viera da direção em que a pluma de fumaça indicava a posição de Merripit House, mas o declive da charneca a ocultara até ela já estar bem perto.

Não tinha dúvida de que era a Srta. Stapleton de quem já ouvira falar, pois devia haver poucas damas na charneca, e me lembrei de que ouvira alguém descrevê-la como uma beldade. A mulher que se aproximava de mim era certamente muito bela, e de uma beleza incomum. Não podia haver maior contraste entre irmão e irmã, pois Stapleton tinha uma cor neutra, cabelos claros e olhos acinzentados, ao passo que ela era mais escura que qualquer morena que eu já encontrara na Inglaterra – esbelta, elegante e alta. Tinha um rosto orgulhoso e bem delineado, tão regular que poderia parecer impassível, se não fossem a boca sensível e os belos olhos escuros e ansiosos. Com seu vestido perfeito e elegante, era, na verdade, uma estranha aparição naquele caminho solitário da charneca. Os seus olhos estavam fixos no irmão quando me virei, mas depois ela apressou o passo na minha direção. Ergui o chapéu e estava prestes a fazer algum comentário explicativo, quando as suas palavras desviaram todos os meus pensamentos para um novo canal.

– Volte! – disse ela. – Volte imediatamente para Londres.

Só consegui fitá-la com um ar estúpido de surpresa. Os seus olhos chamejaram na minha direção, e ela impacientemente bateu o pé no chão.

– Por que deveria voltar? – perguntei.

– Não posso explicar. – Ela falava numa voz baixa e ansiosa, com um ceceio curioso na pronúncia. – Mas, pelo amor de Deus, faça o que digo. Volte e nunca mais torne a pôr o pé na charneca.

– Mas acabei de chegar.

– Ai, homem! – ela gritou. – Não consegue perceber quando um aviso é para o seu próprio bem? Volte para Londres! Parta hoje à noite! Saia deste lugar a qualquer custo! Silêncio, meu irmão está vindo! Nem uma palavra sobre o que lhe disse. Você se incomodaria de pegar para mim aquela orquídea entre as cavalinhas? Temos muitas orquídeas na charneca, embora, é claro, você tenha chegado um pouco tarde para ver as belezas do lugar.

Stapleton tinha abandonado a caçada, e voltava para perto de nós ofegante e ruborizado pelo esforço físico.

– Alô, Beryl! – disse ele, e tive a impressão de que o tom de seu cumprimento não era inteiramente cordial.

– Bem, Jack, você está esbaforido.

– Sim, estava caçando um ciclopides. É muito raro, e dificilmente aparece no final do outono. Que pena que não consegui apanhá-lo!

Ele falava despreocupadamente, mas seus olhinhos claros não paravam de pular da garota para mim.

– Vocês se apresentaram, pelo visto.

– Sim. Estava dizendo a Sir Henry que já era um pouco tarde para ele ver as verdadeiras belezas da charneca.

– Ora, quem você imagina que é este homem?

– Imagino que deve ser Sir Henry Baskerville.

– Não, não – disse eu. – Apenas um humilde comum, mas sou amigo de Sir Henry. Meu nome é Dr. Watson.

Um rubor de contrariedade passou pela sua face expressiva.

– Então a nossa conversa foi um quiproquó – disse ela.

– Ora, vocês não tiveram muito tempo para conversar – observou o irmão, com os mesmos olhos questionadores.

– Falei como se o Dr. Watson fosse um residente, e não um simples visitante – disse ela. – Não deve fazer muita diferença para ele se é cedo ou tarde para ver as orquídeas. Mas você vai vir conosco, não é mesmo, para conhecer Merripit House?

Uma caminhada curta nos levou até uma casa soturna da charneca, outrora fazenda de um criador de gado nos antigos dias de prosperidade, mas agora reformada e transformada numa residência moderna. Um pomar a rodeava, mas as árvores, como é comum na charneca, estavam enfezadas e crestadas, e o efeito de todo o lugar era triste e melancólico. Fomos recebidos por um velho criado estranho, mirrado, com um casaco desbotado, que parecia se harmonizar com a casa. Lá dentro, entretanto, havia salas amplas mobiliadas com uma elegância em que me pareceu reconhecer o gosto da dama. Enquanto olhava de suas janelas para a interminável charneca manchada de granito que ondulava ininterruptamente até o fim do horizonte, não pude deixar de me perguntar o que teria levado este homem altamente culto e esta bela mulher a viver num lugar desses.

– Lugar esquisito para escolher, não é mesmo? – disse ele, como se em resposta ao meu pensamento. – Mas conseguimos ter uma vida bastante feliz, não é, Beryl?

– Muito feliz – disse ela, mas não havia convicção nas suas palavras.

– Eu tive uma escola – disse Stapleton. – Era no North Country. Para um homem do meu temperamento, o trabalho era mecânico e desinteressante, mas me agradava o privilégio de conviver com a juventude, de ajudar a moldar as mentes jovens e de influenciá-las com meu caráter e ideais. No entanto, o destino estava contra nós. Irrompeu uma séria epidemia na escola, e três dos meninos morreram. A instituição nunca se recuperou do golpe, e grande parte do meu capital foi irreparavelmente tragado pela crise. Mesmo assim, se não fosse pela perda da companhia encantadora dos meninos, eu podia até me alegrar com a minha desgraça, pois, com meus fortes interesses por botânica e zoologia, descobri um campo ilimitado de trabalho nesta região, e minha irmã é tão dedicada à natureza quanto eu próprio. Tudo isso, Dr. Watson, foi despejado sobre sua cabeça por causa de sua expressão ao contemplar a charneca de nossa janela.

– Passou certamente pela minha cabeça que a vida poderia ser um pouco monótona... menos para você, talvez, do que para sua irmã.

– Não, não, nunca me aborreço – disse ela rapidamente.

– Temos livros, temos nossos estudos e temos vizinhos interessantes. O Dr. Mortimer é um homem muito instruído no seu ramo de conhecimento. O pobre Sir Charles era também um companheiro admirável. Nós o conhecíamos bem, e nem sei lhe dizer o quanto sentimos a sua falta. Você acha que seria importuno se hoje à tarde eu fosse visitar e conhecer Sir Henry?

– Tenho certeza de que ele ficaria encantado.

– Então talvez você pudesse lhe informar que pretendo visitá-lo. À nossa maneira humilde, talvez possamos fazer alguma coisa para lhe facilitar a vida, até ele se acostumar com seu novo ambiente. Quer subir, Dr. Watson, e examinar a minha coleção de lepidópteros? Acho que é a mais completa no sudoeste da Inglaterra. Quando acabar de inspecioná-la, o almoço já estará quase pronto.

Mas eu estava ansioso para voltar ao meu encargo. A melancolia da charneca, a morte do infeliz pônei, o som estranho que fora associado com a lenda sombria dos Baskerville – tudo isso impregnava meus pensamentos de tristeza. Enfim, por cima dessas impressões mais ou menos vagas, surgira o alerta definido e claro da Srta. Stapleton, dado com uma seriedade tão intensa que eu não tinha dúvidas de que fora provocado por uma razão grave e profunda. Resisti a todos os convites de ficar para o almoço, e comecei imediatamente o meu caminho de volta, tomando a trilha de grama crescida pela qual tínhamos vindo.

Ao que parece, entretanto, devia haver um atalho mais curto para os que conheciam a região, pois antes de chegar à estrada fiquei espantado de ver a Srta. Stapleton sentada numa pedra ao lado da trilha. A sua face estava belamente ruborizada com o exercício, e ela tinha a mão apoiada no flanco.

– Corri o caminho inteiro para interceptá-lo, Dr. Watson – disse ela. – Nem tive tempo de pôr o meu chapéu. Mas não devo me demorar, senão meu irmão pode sentir a minha falta. Eu queria lhe dizer o quanto lamento o erro estúpido que cometi ao pensar que fosse Sir Henry. Por favor, esqueça as palavras que eu disse, pois elas não têm nenhuma serventia para o senhor.

– Mas não posso esquecê-las, Srta. Stapleton – disse eu. – Sou amigo de Sir Henry, e o seu bem-estar me interessa bem de perto. Diga-me por que estava querendo tanto que Sir Henry retornasse a Londres.

– Caprichos de mulher, Dr. Watson. Quando me conhecer melhor, vai compreender que nem sempre dou razões muito claras para o que digo ou faço.

– Não, não. Lembro-me da emoção na sua voz. Lembro-me do brilho nos seus olhos. Por favor, por favor, seja franca comigo, Srta. Stapleton, pois desde que cheguei a essa região percebo sombras ao redor de mim. A vida se tornou como aquele grande atoleiro de Grimpen, com pequenas manchas verdes por toda parte em que podemos nos afundar por não termos um guia para nos apontar a trilha. Diga-me, portanto, o que foi que quis dizer, e prometo que darei o seu aviso a Sir Henry.

Uma expressão de indecisão passou por um momento pela sua face, mas seus olhos endureceram novamente, quando me respondeu.

– Está fazendo tempestade em copo d'água, Dr. Watson – disse ela. – Meu irmão e eu ficamos muito chocados com a morte de Sir Charles. Nós o conhecíamos intimamente, pois a sua caminhada favorita era vir pela charneca até a nossa casa. Ele se impressionava muito com a maldição que pendia sobre a sua família, e quando aconteceu essa tragédia, eu naturalmente senti que deveria haver razões para os receios que tinha expressado. Fiquei apavorada, portanto, quando outro membro da família veio morar no Solar, e senti que deveria avisá-lo do perigo que está correndo. Era isso o que eu queria dizer.

– Mas qual é o perigo?

– Não conhece a história do cão?

– Não acredito nesses disparates.

– Mas eu acredito. Se tiver qualquer influência sobre Sir Henry, leve-o embora de um lugar que sempre foi fatal para a sua família. O mundo é grande. Por que ele iria querer viver no lugar do perigo?

– Exatamente por *ser* o lugar do perigo. Essa é a índole de Sir Henry. Receio que se você não me der informações mais precisas, não conseguirei persuadi-lo a ir embora.

– Não posso dar informações mais precisas, pois não sei de nada mais preciso.

– Gostaria de lhe fazer mais uma pergunta, Srta. Stapleton. Se não pretendia dizer nada além disso quando falou comigo, por que não quis que seu irmão soubesse da nossa conversa? Não há nada a que ele, ou qualquer outra pessoa, pudesse fazer objeções.

– Meu irmão está muito ansioso para ter um novo morador no Solar, pois acha que será para o bem da gente pobre da charneca. Ele ficaria muito zangado, se soubesse que falei alguma coisa que pudesse induzir Sir Henry a se afastar. Mas cumpri o meu dever, e não direi mais nada. Tenho que voltar, senão ele vai sentir a minha falta e suspeitar que estive conversando com o senhor. Adeus!

Ela se virou e desapareceu em poucos minutos entre os penedos espalhados, enquanto eu, com a alma cheia de medos vagos, segui meu caminho até o Solar Baskerville.

8. O Primeiro Relatório do Dr. Watson

Desse ponto em diante seguirei o desenrolar dos acontecimentos transcrevendo as minhas próprias cartas ao Sr. Sherlock Holmes, que no momento se encontram diante de mim sobre a mesa. Está faltando uma página, mas do contrário estão exatamente como foram escritas, e mostram os meus sentimentos e suspeitas do momento com mais precisão do que a minha memória, por mais clara que seja sobre todos esses trágicos acontecimentos, poderia fazer.

                             Solar Baskerville, 13 de outubro.
Meu caro Holmes,
Minhas cartas e telegramas anteriores devem tê-lo mantido bem atualizado sobre tudo o que tem ocorrido neste canto desolado do mundo. Quanto mais alguém se demora por aqui, mais sua alma fica imbuída do espírito da charneca, de sua imensidão e também de seu encanto sombrio. Quando se está lá fora sobre a charneca, todos os vestígios da Inglaterra moderna são deixados para trás, mas, em compensação, percebem-se por toda parte as casas e os afazeres do homem pré-histórico. As casas desses povos esquecidos estão por todos os lados dos caminhos, com suas sepulturas e os imensos monólitos que supõe-se tenham assinalado seus templos. Quando se contemplam as cabanas de pedra cinzenta nas encostas acidentadas, deixa-se para trás a própria época, e se um homem cabeludo e coberto de peles fosse visto saindo agachado da porta baixa da cabana, e ajustando uma flecha com ponta de sílex na corda de seu arco, ninguém deixaria de sentir que naquela

região a presença desse homem pré-histórico é mais natural que a do homem moderno. O estranho é que eles tenham vivido em tão grande número no que sempre deve ter sido um solo muito estéril. Não sou estudioso do passado, mas imagino que eram povos de uma raça oprimida e pouco guerreira, forçados a aceitar uma terra que nenhum outro povo ocuparia.

Entretanto, tudo isso é alheio à missão que você me confiou, e deve ser muito desinteressante para a sua mente severamente prática. Ainda me lembro de sua completa indiferença quanto a saber se o sol se move ao redor da Terra, ou se a Terra se move ao redor do sol. Portanto, é bom voltar aos fatos que dizem respeito a Sir Henry.

Se você não recebeu nenhum relatório nos últimos dias, é porque até hoje nada havia de importante a ser relatado. Ocorreu então uma circunstância muito surpreendente, que vou lhe contar no devido tempo. Mas, em primeiro lugar, devo lhe informar sobre alguns dos outros fatores na situação.

Um desses fatores, sobre o qual falei muito pouco, é o condenado fugitivo na charneca. Há no momento fortes razões para acreditar que ele tenha ido embora, o que é um grande alívio para os moradores solitários deste distrito. Já se passaram duas semanas desde a sua fuga, e durante esse período não foi visto, nem se teve notícias dele. É certamente inconcebível que tenha vivido na charneca durante todo esse tempo. Claro, no que diz respeito a se ocultar, não há nenhuma dificuldade. Qualquer uma dessas cabanas lhe serviria de esconderijo. Mas não há nada para comer, a não ser que ele pegasse e matasse uma das ovelhas da charneca. Achamos, portanto, que ele se foi, e os fazendeiros distantes estão dormindo melhor por causa disso.

Somos quatro homens fortes nesta casa, de modo que podemos cuidar de nossa segurança, mas confesso que tenho me inquietado ao pensar nos Stapleton. Eles vivem a quilômetros de qualquer ajuda. Moram na casa uma criada, um velho criado, a irmã e o irmão, e o último não é um homem muito forte. Seriam vítimas indefesas nas mãos de um sujeito desvairado como esse criminoso de Notting Hill, se ele conseguisse penetrar na residência. Tanto Sir Henry como eu nos preocupamos com a sua situação, e sugeriu-se que Perkins, o criado, fosse dormir na casa, mas Stapleton não quis saber.

O fato é que nosso amigo, o baronete, começa a demonstrar um considerável interesse pela nossa bela vizinha. Não é de admirar, pois o tempo se arrasta pesadamente neste lugar solitário para um homem ativo como ele, e a Srta. Stapleton é uma mulher muito bela e fascinante. Há nela algo tropical e exótico que forma um constraste singular com o irmão frio e fleugmático. No entanto, ele também dá a ideia de grandes emoções ocultas. Tem uma acentuada influência sobre ela, pois já a vi olhar continuamente para o irmão ao falar, como se buscando aprovação para o que dizia. Há um brilho seco nos olhos dele, e uma expressão decidida nos lábios finos, que indica uma natureza positiva e talvez ríspida. Você o acharia um objeto interessante de estudo.

Ele veio visitar Baskerville naquele primeiro dia, e na manhã seguinte nos levou para mostrar o lugar onde supostamente a lenda do malvado Hugo teve a sua origem. Foi uma excursão de alguns quilômetros pela charneca até um local lúgubre o suficiente para ter sugerido a história. Descobrimos um vale pequeno entre morros acidentados que terminava num gramado aberto manchado de ervas brancas. No meio se elevavam duas grandes pedras, gastas e afinadas na ponta, até ficarem parecidas com as imensas e desgastadas presas de um animal monstruoso. Correspondia, sob todos os aspectos, à cena da antiga tragédia. Sir Henry ficou muito interessado, e perguntou a Stapleton mais de uma vez se ele realmente acreditava na possibilidade da interferência do sobrenatural nos assuntos dos homens. Falava despreocupadamente, mas era evidente que levava a pergunta bem a sério. Stapleton foi reservado nas suas respostas, mas não era difícil ver que revelava menos do que poderia dizer, e que não expressava toda a sua opinião por consideração aos sentimentos do baronete. Ele nos falou de casos semelhantes, de outras famílias que tinham sofrido os efeitos de uma influência maligna, e nos deixou com a impressão de que partilhava a visão popular sobre o tema.

No caminho de volta, ficamos para almoçar em Merripit House, e foi então que Sir Henry conheceu a Srta. Stapleton. Desde o primeiro momento em que a viu, ele pareceu fortemente atraído pela bela vizinha, e estou muito enganado se o sentimento não foi mútuo. Falou nela mais de uma vez no caminho para casa, e desde então não se passou um dia em que não se tivesse algum contato com o irmão ou a irmã. Eles vêm jantar aqui hoje à noite, e ouvi rumores de que vamos visitá-los na próxima semana. Seria de imaginar que um casamento desses agradaria a Stapleton, porém mais de uma vez captei uma expressão de grande desaprovação na sua face, quando Sir Henry estava fazendo a corte à sua irmã. Ele é muito ligado à irmã, sem dúvida, e levaria uma vida solitária sem ela, mas seria o cúmulo do egoísmo se criasse obstáculos a que ela fizesse um casamento tão brilhante. No entanto, tenho certeza de que ele não deseja que a familiaridade dos jovens desabroche em amor, e observei várias vezes que faz de tudo para impedir que os dois se encontrem *tête-à-tête*. Por sinal, as suas instruções para que eu nunca deixe Sir Henry sair sozinho vão se tornar muito mais incômodas, se um caso amoroso for acrescentado às nossas outras dificuldades. A minha popularidade logo diminuiria, se eu tivesse que executar as suas ordens ao pé da letra.

Outro dia – quinta-feira, para ser mais preciso – o Dr. Mortimer almoçou conosco. Ele anda escavando um túmulo em Long Down, e conseguiu um crânio pré-histórico que o enche de alegria. Nunca vi ninguém tão entusiasmado por um único tema como ele! Os Stapleton chegaram mais tarde, e a pedido de Sir Henry, o bom doutor nos levou até a Aleia dos Teixos, para nos mostrar exatamente como tudo aconteceu naquela noite fatal. É um caminho longo e sombrio, a Aleia dos Teixos, entre duas altas paredes de sebe cortada, com uma faixa estreita de grama de cada lado. Na extremidade, há um velho pavilhão em ruínas. Na metade do caminho fica o portão da charneca, onde o velho cavalheiro deixou cair a cinza de seu charuto. É um portão de madeira branco com uma tranca. Além se estende a imensa charneca. Lembrei-me da sua teoria sobre o caso e tentei imaginar tudo o que ocorreu. Enquanto ali se encontrava, o velho viu alguma coisa vindo pela charneca, algo que o aterrorizou a ponto de fazê-lo perder a cabeça, e ele correu e correu até morrer de puro horror e esgotamento. Lá estava o túnel longo e sombrio por onde fugiu. E do quê? De um cão pastor da charneca? Ou de um cão fantasmagórico, preto, silencioso e monstruoso? Houve ação humana na história? O pálido e vigilante Barrymore sabia mais do que se dignou a dizer? Tudo indistinto e vago, mas há sempre por trás a sombra escura do crime.

    Conheci outro vizinho desde a minha última carta. É o Sr. Frankland, do Solar Lafter, que mora uns seis quilômetros e meio ao sul do Solar. É um homem idoso, de rosto vermelho, cabelos brancos e colérico. A sua paixão é a lei britânica, e ele gastou uma grande fortuna em litígios. Luta pelo simples prazer de lutar, sempre igualmente disposto a tomar o partido de qualquer lado da questão, por isso não é de admirar que seu divertimento seja dispendioso. Às vezes ele bloqueia um direito de passagem e desafia a paróquia a obrigá-lo a desfazer o bloqueio. Outras vezes derruba com as próprias mãos o portão de outro homem e declara que ali existiu um caminho desde tempos imemoriais, desafiando o dono a processá-lo por invasão de propriedade. Conhece a fundo os antigos direitos senhoriais e comunais, e aplica o seu conhecimento, ora a favor dos aldeões de Fernworthy, ora contra eles, de modo que periodicamente, de acordo com sua última proeza, ou é carregado em triunfo pela rua da vila, ou tem a sua efígie queimada. Diz-se que possui no momento sete ações judiciais nas mãos, o que vai provavelmente consumir o restante da sua fortuna, e com isso extrair o seu ferrão e torná-lo inofensivo no futuro. Afora a lei, parece uma pessoa bondosa e afável, e só o menciono porque você expressamente me pediu que eu enviasse uma descrição dos que nos rodeiam. No momento, ele se ocupa de uma tarefa curiosa, pois, sendo astrônomo amador, tem um excelente telescópio, com o qual se deita no telhado da sua casa e varre a charneca durante todo o dia na esperança de vislumbrar o condenado fugitivo. Se aplicasse todas as suas energias apenas nessa atividade, tudo estaria bem, mas há rumores de que pretende processar o Dr. Mortimer por abrir uma sepultura sem o consentimento dos parentes, visto que ele cavou e retirou o crânio neolítico no túmulo em Long Down. Frankland ajuda a eliminar a monotonia de nossas vidas, e dá um pequeno toque cômico a uma cena muito necessitada desse alívio.

E agora, depois de tê-lo atualizado sobre o condenado fugitivo, os Stapleton, o Dr. Mortimer e Frankland do Solar Lafter, vou acabar com o que é mais importante. Vou contar-lhe mais sobre os Barrymore, e especialmente sobre os surpreendentes acontecimentos da noite passada.

Em primeiro lugar, o telegrama de teste que você mandou de Londres para se certificar de que Barrymore estava realmente aqui. Já expliquei que o testemunho do agente do correio mostrou que o teste não funcionou, e que não temos como provar se ele estava na região ou não. Contei a Sir Henry em que pé estava a situação, e ele imediatamente, à sua maneira franca, chamou Barrymore e perguntou se ele tinha recebido o telegrama. Barrymore disse que tinha.

— O menino entregou o telegrama nas suas mãos? — perguntou Sir Henry.

Barrymore pareceu surpreso e pensou durante algum tempo.

— Não — disse ele —, eu estava na despensa naquela hora, e minha esposa me trouxe o telegrama.

— Foi você que respondeu?

— Não, disse à minha esposa o que responder, e ela desceu para escrever a resposta.

À noite ele voltou ao assunto por sua própria conta.

— Não consegui compreender muito bem o objetivo das suas perguntas hoje de manhã, Sir Henry — disse ele. — Espero que não signifiquem que eu tenha feito alguma coisa para perder a sua confiança.

Sir Henry teve de lhe assegurar que não era nada disso, e tranquilizou-o dando-lhe uma considerável parte de suas roupas antigas, pois as compras londrinas já chegaram.

A Sra. Barrymore me desperta o interesse. É uma pessoa pesada e sólida, muito limitada, intensamente respeitável e inclinada a ser puritana. Não se poderia imaginar ninguém menos emocional. Mas já lhe contei como, na primeira noite no Solar, eu a ouvi chorar amargamente, e desde então tenho mais de uma vez observado vestígios de lágrimas no seu rosto. Algum pesar profundo consome seu coração. Ora me pergunto se ela não tem uma memória culpada que a atormenta, ora suspeito que Barrymore seja um tirano doméstico. Sempre senti que havia algo singular e questionável no caráter desse homem, mas a aventura da última noite foi o ápice de todas as minhas suspeitas.

Ainda assim, talvez não seja nada de mais. Você sabe que não tenho o sono pesado e, como ando alerta nesta casa, os meus cochilos têm sido mais leves que nunca. Na noite passada, pelas duas da madrugada, fui despertado por um passo furtivo bem na frente do meu quarto. Eu me levantei, abri a porta e espiei para fora. Uma longa sombra preta se arrastava pelo corredor. Era criada por um homem que caminhava de mansinho pela passagem com uma vela na mão. Estava em calças e camisa, e descalço. Só conseguia ver o esboço da silhueta, mas a sua altura me revelou que era Barrymore. Ele caminhava muito devagar e com cuidado, e havia algo indescritivelmente culpado e furtivo em toda a sua aparência.

Eu já lhe disse que o corredor é interrompido pelo balcão que circunda o saguão, sendo retomado no lado oposto. Esperei até que ele ficasse fora da minha visão, e então o segui. Quando acabei de passar pelo balcão, ele já tinha chegado ao fim do outro corredor, e pude ver pelo brilho fraco da luz numa porta aberta que ele tinha entrado num dos quartos. Ora, todos esses quartos estão vazios e desocupados, por isso a sua excursão se tornou mais misteriosa do que nunca. A luz brilhava firme, como se ele estivesse parado sem se mover. Andei furtivamente pela passagem procurando fazer o mínimo de barulho possível e espiei pelo canto da porta.

Barrymore estava acocorado perto da janela segurando a vela contra o vidro. O seu perfil estava meio virado para mim, e a sua face parecia estar tensa de expectativa, enquanto ele fitava a escuridão da charneca. Por alguns minutos, ficou observando atentamente. Depois deu um profundo gemido, e com um gesto impaciente apagou a vela. No mesmo instante, retornei para o meu quarto, e pouco depois escutei mais uma vez o passo furtivo voltando pela passagem. Muito tempo depois, quando já estava cochilando, escutei uma chave girar numa fechadura em algum lugar da casa, mas não consegui identificar de onde vinha o som. Não consigo imaginar o que tudo isso significa, mas alguma coisa secreta está se passando nesta casa opressiva que mais dia menos dia vamos ter que descobrir. Não o incomodo com as minhas teorias, pois você me pediu que lhe desse apenas os fatos. Tive uma longa conversa com Sir Henry hoje de manhã, e fizemos um plano de campanha com base nas minhas observações da noite passada. Nada direi a respeito agora, mas acho que a leitura de meu próximo relatório vai ser interessante.

9. A Luz na Charneca

[*Segundo relatório do Dr. Watson*]

Solar Baskerville, 15 de outubro.

Meu caro Holmes,
Se fui obrigado a deixá-lo sem muitas notícias nos primeiros dias de minha missão, você tem de reconhecer que estou recuperando o tempo perdido, e que os acontecimentos se amontoam rapidamente ao nosso redor. Terminei o meu último relatório com a minha nota principal sobre Barrymore na janela, e agora já tenho todo um estoque de notícias que, se não estou enganado, vai surpreendê-lo bastante. A situação tomou um rumo que eu não teria antecipado. Sob alguns aspectos, ficou muito mais clara nas últimas quarenta e oito horas, e sob outros aspectos, mais complicada. Mas vou lhe contar tudo, e você julgará por si mesmo.

Antes do café da manhã no dia seguinte à minha aventura, percorri todo o corredor e examinei o quarto em que Barrymore estivera na noite anterior. A janela a oeste, pela qual ele tinha olhado com tanta atenção, tem, pelo que observei, uma peculiaridade que a distingue de todas as outras janelas da casa – dela se descortina o panorama mais claro da charneca. Há uma abertura entre duas árvores que permite uma visão direta da charneca daquela perspectiva, ao passo que de todas as outras janelas só se pode obter um vislumbre distante. Segue-se, portanto, que Barrymore, como só aquela janela servia a seu propósito, devia estar olhando para fora à procura de algo ou de alguém na charneca. A noite estava muito escura, por isso não consigo imaginar como ele podia esperar ver alguém. Ocorreu-me a possibilidade de que uma intriga amorosa estivesse em andamento. Isso explicaria seus movimentos furtivos, e também a inquietação de sua esposa. O homem tem uma aparência invejável e todos os requisitos para roubar o coração de uma garota camponesa, por isso essa teoria parecia ter algum fundamento. O barulho de uma porta se abrindo, que eu escutara quando já estava de volta ao meu quarto, poderia significar que ele saíra para um encontro clandestino. Assim pensava eu de manhã, e conto-lhe o rumo que tomavam as minhas suspeitas, por mais que o resultado tenha revelado o quanto eram infundadas.

Mas qualquer que fosse a verdadeira explicação dos movimentos de Barrymore, sentia que a responsabilidade de mantê-los em segredo, até poder explicá-los, era mais do que podia suportar. Tive uma conversa com o baronete no seu escritório depois do café da manhã, e contei-lhe tudo o que vira. Ele ficou menos surpreso do que eu imaginara.

– Sabia que Barrymore caminhava à noite, e pretendia falar com ele a esse respeito – disse ele. – Duas ou três vezes escutei seus passos na passagem, indo e vindo, mais ou menos na mesma hora que você mencionou.

– Então ele talvez faça uma visita todas as noites àquela janela em particular – sugeri.

– Talvez. Nesse caso, poderíamos segui-lo e ver o que ele anda procurando. Gostaria de saber o que seu amigo Holmes faria, se estivesse aqui.

– Acredito que faria exatamente o que você acabou de sugerir – disse eu. – Seguiria Barrymore e veria o que ele anda fazendo.

– Então é isso o que vamos fazer juntos.

– Mas ele certamente nos escutaria.

– O homem é um tanto surdo, e de qualquer modo devemos correr esse risco. Vamos vigiar no meu quarto hoje à noite, e esperar até ele passar. – Sir Henry esfregou as mãos com prazer. Era evidente que saudava a aventura como um alívio para a sua vida bastante quieta na charneca.

O baronete tem se comunicado com o arquiteto que projetou as reformas para Sir Charles, e com um empreiteiro de Londres, de modo que podemos esperar grandes mudanças para breve. Por aqui também estiveram decoradores e negociantes de mobília de Plymouth. É evidente que nosso amigo tem ideias grandiosas e não pretende poupar trabalho nem despesas para restaurar o fausto da sua família. Quando a casa for reformada e receber mobília nova, só ficará faltando uma esposa para torná-la completa. Cá entre nós, há sinais bastante claros de que isso não será problema se a dama estiver de acordo, pois raramente vi um homem mais apaixonado por uma mulher do que ele pela nossa bela vizinha, a Srta. Stapleton. No entanto, o curso do verdadeiro amor não flui tão serenamente como se esperaria, dadas as circunstâncias. Hoje, por exemplo, a sua superfície foi sacudida por uma comoção inesperada, que causou grande perplexidade e irritação a nosso amigo.

Depois da conversa que mencionei sobre Barrymore, Sir Henry pôs o chapéu e se preparou para sair. Como de costume, fiz o mesmo.

– O quê? *Você* também vai sair, Watson? – perguntou, olhando para mim de modo curioso.

– Depende do seu rumo. Você vai para a charneca? – disse eu.

– Sim, vou.

– Bem, você sabe quais são as minhas instruções. Lamento me intrometer, mas você ouviu o quanto Holmes insistiu para que eu não o deixasse sozinho, e especialmente para que você não andasse sozinho pela charneca.

Sir Henry pôs a mão no meu ombro, com um sorriso agradável.

– Meu caro amigo – disse ele – Holmes, com toda a sua sabedoria, não podia prever algumas coisas que aconteceram desde que cheguei a esta região. Você me compreende? Tenho certeza de que você é o último homem no mundo a querer ser um estraga-prazeres. Tenho que sair sozinho.

Essas palavras me deixaram numa posição muito incômoda. Fiquei sem saber o que dizer ou fazer, e antes que eu tomasse qualquer decisão, ele pegou a sua bengala e partiu.

Mas quando refleti sobre a questão, a minha consciência me repreendeu amargamente por ter permitido que ele saísse de perto de mim, qualquer que fosse o pretexto. Imaginei quais seriam os meus sentimentos, se tivesse de retornar e confessar a você que ocorrera uma desgraça por eu não ter obedecido as suas instruções. Asseguro-lhe que a minha face se ruborizou só de pensar nessa hipótese. Talvez ainda não fosse tarde demais para alcançá-lo, por isso parti imediatamente na direção de Merripit House.

Andei pela estrada o mais rápido possível sem ver sinal de Sir Henry, até que cheguei ao ponto em que o caminho da charneca se ramifica. Ali, receando que talvez tivesse tomado a direção errada, subi num morro do qual podia ter uma visão da cena – o mesmo morro que foi cortado para formar a pedreira escura. Então o vi imediatamente. Estava no caminho da charneca, a uns quatrocentos metros de distância, e caminhava ao seu lado uma dama que só podia ser a Srta. Stapleton. Era claro que havia um entendimento entre eles e que tinham marcado um encontro. Estavam andando devagar numa conversa absorvente, e eu a via fazer pequenos movimentos rápidos com as mãos, como se levasse muito a sério o que estava dizendo, enquanto ele escutava atentamente, e uma ou duas vezes sacudiu a cabeça discordando com veemência. Fiquei parado entre as pedras observando-os, muito perplexo quanto ao que deveria fazer. Segui-los e interromper a sua conversa íntima parecia uma ofensa, porém meu claro dever era nunca perdê-lo de vista nem por um instante. Espionar um amigo era uma tarefa odiosa. Ainda assim, não via melhor alternativa do que observá-lo do morro e confessar-lhe mais tarde o que tinha feito para acalmar a minha consciência. É verdade que se um perigo repentino o tivesse ameaçado, eu estaria muito longe para ajudá-lo, mas tenho certeza de que você vai concordar comigo que a posição era muito difícil, e que não havia mais nada que eu pudesse fazer.

Nosso amigo, Sir Henry, e a dama tinham parado no caminho, e estavam profundamente absorvidos na sua conversa, quando percebi de repente que eu não era a única testemunha de seu encontro. Um farrapo verde flutuando no ar me chamou a atenção, e outra olhadela me revelou que era carregado numa vara por um homem que se movia entre o terreno acidentado. Era Stapleton com sua rede de caçar borboletas. Estava muito mais próximo do par que eu, e parecia estar se movendo na sua direção. Nesse momento, Sir Henry puxou de repente a Srta. Stapleton para perto de si. Seu braço estava ao redor do corpo da moça, mas ela parecia fazer força para se afastar dele, com o rosto virado para o lado. Ele inclinou a cabeça sobre a dela, mas a dama ergueu a mão como que em protesto. No momento seguinte, eu os vi se afastarem com um pulo e se virarem depressa. Stapleton era a causa da interrupção. Estava correndo loucamente na direção do par, a rede absurda balançando atrás dele. Gesticulava e quase dançava de comoção na frente dos amantes. Eu não conseguia imaginar o significado da cena, mas Stapleton parecia estar descompondo Sir Henry, que oferecia explicações que se tornavam mais zangadas à medida que o outro recusava aceitá-las. A dama se mantinha ao lado num silêncio orgulhoso. Por fim, Stapleton girou nos calcanhares e chamou a irmã com um sinal autoritário, e ela, depois de um olhar indeciso para Sir Henry, partiu ao lado do irmão. Os gestos zangados do naturalista mostravam que a dama estava incluída na sua desaprovação. O baronete ficou um minuto olhando os dois que partiam, e depois tomou lentamente o caminho de volta, a cabeça baixa, a própria imagem do desânimo.

Não conseguia imaginar o que tudo isso significava, mas estava profundamente envergonhado de ter testemunhado uma cena tão íntima sem o conhecimento de meu amigo. Desci do morro, portanto, e encontrei o baronete ao pé da encosta. A raiva ruborizava o seu rosto e as sobrancelhas estavam franzidas, como alguém que não soubesse o que fazer.

– Alô, Watson! Caiu do céu? – disse ele. – Não vai me dizer que veio atrás de mim apesar de tudo.

Expliquei tudo para ele: como achara impossível ficar no Solar, como o tinha seguido, e como presenciara tudo o que ocorrera. Por um momento, seus olhos me fuzilaram, mas a minha franqueza desarmou a sua raiva, e ele caiu por fim numa risada um tanto triste.

– Seria de pensar que o centro dessa campina fosse um lugar bastante seguro para um encontro privado – disse ele – mas, céus, toda a região parece ter saído de casa para me ver fazer a corte... e, por sinal, uma corte bastante deplorável! Onde é que você conseguiu seu assento?

– Estava em cima desse morro.

– Bem na fila de trás, hein? Mas o irmão estava bem na frente. Você viu como ele veio contra nós?

– Sim, vi.

– Esse irmão dela... ele já lhe pareceu louco alguma vez?

– Nunca tive essa impressão.

– Provavelmente não. Até hoje sempre o achei bastante sadio, mas acredite em mim que ele ou eu devia estar numa camisa de força. O que tenho de errado, afinal? Você viveu ao meu lado nessas últimas semanas, Watson. Seja franco! Há alguma coisa que me impediria de me tornar um bom marido para a mulher que eu amasse?

— Diria que não.

— Ele não pode ser contra a minha posição mundana, por isso deve ser comigo que ele tem essa birra. O que ele tem contra mim? Que eu saiba, nunca fiz mal a nenhum homem ou mulher em toda a minha vida. Entretanto, ele não me deixaria tocar nem a ponta dos dedos dela.

— Foi o que disse?

— Isso, e muito mais. Vou lhe contar, Watson, só a conheço há poucas semanas, mas desde o primeiro momento senti que era feita para mim, e ela, também... ela se sentia feliz quando estava comigo, e isso posso jurar. Há uma luz nos olhos de uma mulher que fala mais alto que palavras. Mas ele nunca deixou que ficássemos juntos, e foi só hoje, pela primeira vez, que vi uma oportunidade de trocar algumas palavras com ela a sós. Ela estava feliz com o encontro, mas quando se viu ao meu lado, não queria falar de amor e, se pudesse ter impedido, também não queria que eu falasse de amor. Voltava sempre ao mesmo assunto, que este é um lugar de perigo, e que só ficaria feliz quando eu saísse da região. Eu lhe disse que desde o momento em que a vira, não tinha nenhuma pressa em ir embora, e que se ela realmente quisesse que eu me fosse, a única maneira de conseguir seu intento era arranjar um modo de ir junto comigo. Com isso eu a pedi com todas as letras em casamento, mas antes que ela pudesse responder, chegou esse irmão dela correndo e esbravejando com o rosto de um louco. Ele estava branco de cólera, e seus olhos claros chamejavam de fúria. O que é que eu estava fazendo com a dama? Como é que eu ousava lhe fazer a corte, quando isso a molestava? Por acaso eu achava que só por ser baronete podia fazer o que quisesse? Se não fosse o irmão, eu saberia melhor como responder. Mas sendo o irmão, eu lhe disse que os meus sentimentos pela sua irmã não eram nada de que pudesse me envergonhar, e que eu esperava que ela me desse a honra de se tornar minha esposa. Isso não pareceu melhorar em nada a situação, por isso perdi também a cabeça, e respondi bem mais iradamente do que deveria, talvez, considerando que ela estava ao nosso lado. Tudo acabou com ele partindo com a irmã, como você viu, e aqui estou eu, o homem mais perplexo deste condado. Diga-me o que tudo isso significa, Watson, e vou lhe ficar devendo mais do que poderia pagar.

Tentei uma ou duas explicações, mas, para falar a verdade, também estava completamente perplexo. O título de nosso amigo, sua fortuna, sua idade, seu caráter e sua aparência, tudo falava a seu favor, e não sei de nada contra ele, a não ser esse destino negro que existe na sua família. Que suas investidas fossem rejeitadas tão bruscamente sem nenhuma referência aos desejos da dama, e que a dama aceitasse a situação sem protestar, era muito surpreendente. Entretanto, as nossas conjeturas foram resolvidas por uma visita do próprio Stapleton naquela mesma tarde. Ele veio pedir desculpas pela sua rudeza da manhã, e o desfecho de uma longa conversa privada com Sir Henry no escritório é que a desavença foi totalmente sanada, e que devemos jantar em Merripit House na próxima sexta-feira como sinal de que está tudo em paz.

– Não digo que ele não seja louco – disse Sir Henry. – Não posso esquecer seu olhar quando me atacou hoje de manhã, mas tenho que admitir que nenhum homem teria feito um pedido de desculpas mais bonito.

– Ele deu alguma explicação para a sua conduta?

– A irmã é tudo na sua vida, diz ele. O que é bastante natural, e fico contente que ele reconheça o seu valor. Sempre viveram juntos e, pelo que me contou, tem sido um homem muito solitário que só dispõe da companhia da irmã, de modo que a ideia de perdê-la é realmente terrível. Ele não tinha compreendido, foi o que me disse, que eu estava me interessando por ela, mas quando viu com seus próprios olhos que essa era a realidade, e que ela poderia lhe ser roubada, sentiu um choque tão forte que por algum tempo não foi responsável pelo que disse ou fez. Lamentava tudo o que se passara, e reconhecia que era tolo e egoísta de sua parte imaginar que poderia manter uma bela mulher como a sua irmã perto de si a vida inteira. Se ela tinha de deixá-lo, ele preferia que fosse com um vizinho como eu do que com qualquer outro. Mas de qualquer modo era um grande golpe, e ele precisaria de algum tempo para enfrentá-lo. Retiraria toda a oposição de sua parte, se eu lhe prometesse deixar a questão em suspenso por três meses, e me contentasse em cultivar a amizade da dama durante esse tempo, sem procurar o seu amor. Eu lhe prometi o que me pedia, e é nesse pé que está a situação.

Assim um de nossos pequenos mistérios foi esclarecido. Já é alguma coisa ter chegado ao fundo de algum lugar neste atoleiro em que estamos patinhando. Sabemos agora por que Stapleton parecia não gostar do pretendente de sua irmã – mesmo que esse pretendente fosse um partido tão bom como Sir Henry. E agora vamos passar para outro fio que desenredei da trama emaranhada, o mistério dos soluços à noite, da face manchada de lágrimas da Sra. Barrymore, da excursão secreta do mordomo até a janela de treliça no lado oeste da casa. Pode me dar os parabéns, meu caro Holmes, e dizer que não o desapontei como agente – que você não se arrepende da confiança que depositou em mim quando me mandou para esta região. Todos esses mistérios foram esclarecidos numa noite de trabalho.

Disse "numa noite de trabalho", mas, para ser exato, foram duas noites de trabalho, pois na primeira não conseguimos nenhuma informação. Fiquei vigiando com Sir Henry no seu quarto até quase três horas da madrugada, mas não escutamos nenhum som a não ser o relógio batendo as horas em cima da escada. Foi uma vigília muito melancólica e terminou com nós dois adormecendo em nossas poltronas. Felizmente não desanimamos, decidindo tentar de novo. Na noite seguinte, diminuímos a intensidade da lâmpada e ficamos fumando cigarros, sem fazer nenhum ruído. Era incrível como as horas se arrastavam, mas o que nos ajudou a passá-las foi o mesmo tipo de interesse paciente que o caçador deve sentir enquanto vigia a armadilha em que espera prender a caça desavisada. Bateu uma, duas horas, e já tínhamos quase desistido em desespero pela segunda vez, quando num átimo nós dois nos endireitamos nas poltronas, com todos os sentidos cansados mais uma vez intensamente alertas. Tínhamos escutado o rangido de um passo na passagem.

Nós o escutamos passar muito furtivamente pelo corredor até o som morrer na distância. Depois o baronete abriu suavemente a porta, e partimos em sua perseguição. O nosso homem já contornara a galeria, e o corredor estava mergulhado na escuridão. De mansinho seguimos adiante, até entrarmos na outra ala. Chegamos bem a tempo de vislumbrar a figura alta de barba preta, os ombros arredondados, que seguia pela passagem na ponta dos pés. Então ele entrou na mesma porta da outra noite, e a luz da vela modelou o vão no escuro e lançou um único raio amarelo pela escuridão do corredor. Nós nos aproximamos com cuidado, testando cada tábua antes de ousarmos pôr todo o nosso peso sobre o chão. Tínhamos tomado a precaução de deixar as botas no quarto, porém, mesmo assim, as velhas pranchas estalavam e rangiam sob nossos passos. Às vezes parecia impossível que ele deixasse de escutar nossa movimentação. Entretanto, o homem é felizmente bastante surdo, e estava inteiramente absorvido no que fazia. Quando por fim alcançamos a porta e espiamos para dentro, nós o descobrimos acocorado perto da janela, com a vela na mão, a face branca e atenta pressionada contra o vidro, exatamente como eu o vira duas noites antes.

Não tínhamos feito nenhum plano de campanha, mas para o baronete o modo mais direto é sempre o mais natural.

Ele entrou no quarto, e com isso Barrymore pulou de seu lugar perto da janela, com sua respiração produzindo um silvo agudo, e ficou parado, lívido e trêmulo, diante de nós. Seus olhos escuros, brilhantes na máscara branca de sua face, estavam cheios de horror e espanto enquanto olhava de Sir Henry para mim.

– O que está fazendo aqui, Barrymore?

– Nada, senhor. – A sua agitação era tão grande que mal podia falar, e as sombras subiam e desciam pelas paredes com o tremor de sua mão. – Era a janela, senhor. Faço uma ronda à noite para ver se estão bem fechadas.

– No segundo andar?

– Sim, senhor, todas as janelas.

– Olhe aqui, Barrymore – disse Sir Henry rispidamente – decidimos que vamos arrancar a verdade de você, por isso evitará muita encrenca se contá-la logo e não deixar as explicações para mais tarde. Vamos! Nada de mentiras! O que estava fazendo nesta janela?

O sujeito nos olhava desarvorado, torcendo as mãos como alguém no auge da dúvida e da aflição.

– Não estava fazendo nada de mal, senhor. Estava segurando um vela perto da janela.

– E por que estava segurando uma vela perto da janela?

– Não me pergunte, Sir Henry... não me pergunte! Dei a minha palavra, senhor, não é meu segredo e não posso contá-lo. Se dissesse respeito apenas a mim, não tentaria ocultá-lo do senhor.

De repente me ocorreu uma ideia, e peguei a vela do peitoril da janela, onde o mordomo a tinha colocado.

– Ele devia estar segurando a vela como um sinal – disse eu. – Vamos ver se há uma resposta.

Eu a ergui como ele fizera, e olhei para a escuridão da noite. Discernia vagamente a massa negra das árvores e a extensão mais clara da charneca, pois a lua estava atrás das nuvens. Mas então dei um grito de alegria, pois um minúsculo pontinho de luz amarela tinha de repente atravessado o véu escuro, e brilhava firmemente no centro do quadrado preto emoldurado pela janela.

– Lá está! – gritei.

– Não, não, senhor, não é nada... absolutamente nada – interrompeu o mordomo. – Eu lhe asseguro, senhor...

– Mova a sua luz pela janela, Watson! – gritou o baronete. – Está vendo? A outra também se move! Agora, patife, ainda vai negar que seja um sinal? Vamos, fale! Quem é seu cúmplice lá ao longe, e que conspiração é essa?

A face do homem tornou-se abertamente desafiadora.
– É assunto meu, e não seu. Não vou falar.

– Então deixe imediatamente o trabalho na minha casa.

– Muito bem, senhor. Se assim deseja, eu saio.

– E parta em desgraça. Céus, você devia se envergonhar. Sua família morou com a minha por mais de um século sob esse teto, e agora o pego envolvido numa trama obscura contra mim.

– Não, não, senhor. Não, não contra o senhor.

Era a voz de uma mulher, e a Sra. Barrymore, mais pálida e mais cheia de pavor que o marido, estava parada junto à porta. A sua figura volumosa envolta num xale e camisola teria sido cômica, não fosse a intensidade do sentimento no seu rosto.

– Temos que partir, Eliza. É o fim. Você pode empacotar as nossas coisas – disse o mordomo.

– Oh, John, John, eu lhe causei essa desgraça? É tudo culpa minha, Sir Henry... só minha. Foi só por minha causa que ele fez o que fez, e porque eu lhe pedi.

– Fale então! O que significa tudo isso?

– Meu infeliz irmão está morrendo de fome na charneca. Não podemos deixar que morra junto aos nossos portões. A luz é um sinal de que a comida está pronta para ele, e a sua luz lá ao longe é para mostrar o lugar aonde devemos levá-la.

– Então o seu irmão é...

– O condenado fugitivo, senhor... Selden, o criminoso.

– Essa é a verdade, senhor – falou Barrymore. – Eu disse que não era meu segredo e que não poderia lhe contar nada. Mas agora o senhor escutou a verdade, e vai compreender que, se havia uma trama, não era contra o senhor.

Essa era então a explicação das excursões furtivas à noite e da luz na janela. Sir Henry e eu olhávamos para a mulher espantados. Seria possível que essa pessoa obstinadamente respeitável tivesse o mesmo sangue de um dos mais notórios criminosos do país?

– Sim, senhor, meu nome era Selden, e ele é meu irmão mais moço. Nós o mimamos demais quando era garoto, fazíamos todas as suas vontades, até que ele começou a pensar que o mundo era feito para o seu prazer, e que ele podia fazer o que quisesse. Depois, quando cresceu, conheceu companheiros malvados e ficou possuído pelo diabo, até que partiu o coração de minha mãe e jogou o nosso nome na lama. De crime em crime afundou cada vez mais, e foi só a graça de Deus que o tirou do patíbulo. Mas para mim, senhor, ele era sempre o menino de cabelos cacheados que eu tinha ninado e com quem tinha brincado, como qualquer irmã mais velha. Foi por isso que ele fugiu da prisão, senhor. Sabia que eu estava aqui e que não recusaria ajuda. Quando ele se arrastou até o Solar certa noite, cansado e morrendo de fome, com os guardas no seu encalço, o que poderíamos fazer? Nós o acolhemos e cuidamos dele. Então o senhor retornou, e meu irmão achou que estaria mais seguro na charneca do que em qualquer outro lugar, enquanto a perseguição não terminasse, por isso ele ficou escondido lá fora. Mas a cada duas noites nós procurávamos saber se ele ainda estava por lá erguendo uma luz na janela, e se havia resposta, meu marido lhe levava um pouco de pão e carne. Todos os dias esperávamos que ele tivesse partido, mas enquanto ainda ali se encontrasse, não podíamos abandoná-lo. Esta é toda a verdade, dou-lhe a minha palavra de mulher cristã honesta, e o senhor vai compreender que se alguém é culpado nessa história, a culpa não é de meu marido, mas minha, pois foi por minha causa que ele fez tudo o que fez.

As palavras da mulher saíam de sua boca com uma sinceridade intensa que as impregnava de convicção.

– Isso é verdade, Barrymore?

– Sim, Sir Henry. Ponto por ponto.

– Bem, não posso censurá-lo por ficar ao lado de sua mulher. Esqueça o que disse. Recolham-se ao seu quarto, vocês dois, e amanhã falaremos mais sobre esse assunto.

Quando já tinham desaparecido, nós olhamos para fora da janela mais uma vez. Sir Henry a tinha aberto, e o vento frio da noite batia em nossos rostos. Ao longe na distância negra ainda brilhava aquele minúsculo ponto de luz amarela.

– Eu me admiro que ele ouse acender uma vela – disse Sir Henry.

– Talvez esteja num lugar que só é visível daqui.

– Muito provavelmente. A que distância você acha que ele está?

– Perto de Cleft Tor.

– Não são mais que dois ou três quilômetros.

– Menos que isso.

– Bem, não pode estar longe, se Barrymore tinha que lhe levar a comida. E está à espera, este bandido, ao lado da vela. Céus, Watson, vou sair para pegar esse homem!

O mesmo pensamento cruzara a minha mente. Não era o caso de os Barrymore nos terem confiado o seu segredo. A história fora arrancada deles à força. O homem era um perigo para a comunidade, um rematado canalha para quem não havia nem piedade, nem desculpas. Estávamos apenas cumprindo nosso dever ao aproveitar essa oportunidade de levá-lo de volta ao lugar onde não podia causar danos. Com sua natureza brutal e violenta, outros teriam de pagar o preço, se nada fizéssemos. Qualquer noite, por exemplo, ele poderia atacar os nossos vizinhos Stapleton, e talvez tenha sido esse pensamento que tornava Sir Henry tão ansioso pela aventura.

– Vou junto – disse eu.

– Então pegue o seu revólver e calce as botas. Quanto mais cedo partirmos, melhor, pois o sujeito pode apagar a sua luz e dar no pé.

Em cinco minutos já estávamos fora de casa, começando nossa excursão noturna. Andamos depressa por entre os arbustos escuros, em meio ao gemido monótono do vento de outono e ao farfalhar das folhas que caíam. O ar da noite estava impregnado com o cheiro de umidade e decomposição. De vez em quando a lua espiava para fora, mas as nuvens cobriam a face do céu, e quando entramos na charneca começou a cair uma chuva fina. A luz ainda ardia firme à nossa frente.

– Você está armado? – perguntei.

– Tenho um chicote de caça.

– Devemos atacá-lo rapidamente, pois dizem que é um sujeito temerário. Vamos pegá-lo de surpresa para que fique à nossa mercê, antes que possa resistir.

– Ouça, Watson – disse o baronete – o que diria Holmes dessa nossa excursão? E que me diz daquela hora da escuridão em que o poder do mal é exaltado?

Como se em resposta às suas palavras, surgiu de repente das imensas trevas da charneca aquele som estranho que eu já escutara nas margens do grande atoleiro Grimpen. Vinha com o vento pelo silêncio da noite, um resmungo longo e grave, depois um uivo crescente, e por fim um gemido triste que morria na distância. Ecoou mais de uma vez, todo o ar palpitando com o som estridente, selvagem e ameaçador. O baronete agarrou a minha manga, e sua face tremeluzia branca no meio da escuridão.

– Meu Deus, o que é isso, Watson?

– Não sei. É um som que eles têm na charneca. Já o escutei uma vez.

O som morreu ao longe, e um silêncio absoluto caiu sobre nós. Forçamos nossos ouvidos, mas não se escutava nenhum som.

– Watson – disse o baronete – era o uivo de um cão.

Meu sangue gelou nas veias, pois sua voz alterada dizia do repentino horror que tomara conta de seu coração.

– O que eles dizem desse som? – perguntou.

– Quem?

– O povo da região.

– Oh, são pessoas ignorantes. Por que você desejaria saber o que dizem?

– Diga-me, Watson. O que eles dizem desse som?

Hesitei, mas não pude fugir à pergunta.

– Dizem que é o uivo do cão dos Baskerville.

Ele gemeu e ficou em silêncio por alguns minutos.

– Era um cão – disse por fim –, mas o som parecia vir de quilômetros de distância, acho que daquela direção.

– Era difícil dizer de onde vinha.

– Aumentava e diminuía com o vento. Não é por ali que fica o grande atoleiro Grimpen?

– Sim.

– Bem, veio dali. Vamos, Watson, você não acha que era o uivo de um cão? Não sou criança. Não precisa ter medo de me falar a verdade.

– Stapleton estava comigo na última vez que escutei esse som. Disse que poderia ser o grito de um pássaro estranho.

— Não, não, era um cão. Meu Deus, será que há alguma verdade em todas essas histórias? Será possível que eu esteja realmente em perigo, ameaçado por causa tão obscura? Você não acredita nessa história, não é, Watson?

— Não, não.

— Mas uma coisa era rir da lenda em Londres, e outra bem diferente é estar aqui na escuridão da charneca e escutar um uivo desses. E meu tio! Havia uma pegada de cão ao lado de seu corpo. Tudo se encaixa. Não acho que eu seja covarde, Watson, mas aquele som parece ter gelado o meu sangue. Sinta a minha mão!

Estava fria como um pedaço de mármore.

— Você vai estar bem amanhã.

— Acho que não vou conseguir tirar esse uivo da minha cabeça. O que você acha que devemos fazer agora?

— Voltar?

— Não, céus, saímos à caça de nosso homem e vamos pegá-lo. Estamos atrás do condenado, e um cão diabólico, muito provavelmente, está no nosso encalço. Vamos. Nós o pegaremos, mesmo que todos os demônios do abismo estejam soltos na charneca.

Avançamos lentamente tropeçando na escuridão, com o vulto negro dos morros escarpados ao nosso redor, e o ponto amarelo de luz ardendo firmemente na frente. Não há nada mais enganador que a distância de uma luz numa noite escura como breu, ora o bruxuleio parecia estar muito longe no horizonte, ora parecia estar a uns poucos metros de nós. Mas por fim percebemos de onde vinha, e então compreendemos que estávamos na verdade muito perto. Uma vela gotejante estava enfiada numa fenda das pedras que a ladeavam para protegê-la do vento, e também para impedir que fosse visível noutra direção que não a do Solar Baskerville. Um penedo de granito ocultou a nossa aproximação, e agachando-nos atrás dele espiamos a luz do sinal. Era estranho ver aquela vela solitária ardendo no meio da charneca, sem nenhum sinal de vida ao seu redor – apenas a chama amarela reta e o clarão da pedra em cada lado.

– O que faremos agora? – sussurrou Sir Henry.

– Espere aqui. Ele deve estar perto da sua luz. Vamos ver se conseguimos vislumbrá-lo.

As palavras mal tinham saído da minha boca, quando nós dois o vimos. Sobre as pedras em cuja fenda queimava a vela, tinha aparecido uma face amarela má, uma terrível face de animal, toda sulcada e marcada de paixões vis. Suja de lama, com uma barba eriçada e coberta de cabelos emaranhados, bem que poderia pertencer a um daqueles selvagens antigos que moravam nas tocas nas encostas dos morros. A luz abaixo da cabeça se refletia nos olhos pequenos e manhosos, que fitavam impetuosamente à direita e à esquerda perscrutando a escuridão, como um animal selvagem e matreiro que escutou os passos dos caçadores.

Alguma coisa tinha evidentemente despertado suas suspeitas. Pode ser que Barrymore tivesse algum sinal particular que não tínhamos dado, ou o sujeito talvez tivesse outra razão para achar que nem tudo estava bem, mas eu podia ler seus medos na face malvada. A qualquer momento, ele podia apagar a luz e desaparecer na escuridão. Por isso dei um pulo para a frente, e Sir Henry me imitou. No mesmo momento, o condenado nos gritou uma praga e atirou uma pedra que se espatifou contra o penedo que nos protegera. Consegui vislumbrar a sua figura baixa, atarracada e forte, quando ele se levantou com um pulo e se virou para correr. Nesse exato momento, por um acaso feliz, a lua saiu do meio das nuvens. Corremos pelo cimo do morro, e lá estava o nosso homem descendo com grande velocidade a outra encosta, pulando pelas pedras no caminho com a agilidade de um cabrito montês. Um tiro certeiro de meu revólver poderia tê-lo aleijado, mas eu tinha levado a arma só para me defender se atacado, e não para atirar num homem desarmado que fugia correndo.

Éramos bons corredores e estávamos em boa forma física, mas logo vimos que não tínhamos chance de alcançá-lo. Por um longo tempo o vimos à luz da lua, até ele se tornar apenas um pontinho que se movia rapidamente entre os penedos sobre a encosta de um morro distante. Corremos e corremos até ficar completamente exaustos, mas o espaço entre nós se tornava cada vez maior. Finalmente paramos e nos sentamos ofegantes sobre duas pedras, enquanto o observávamos desaparecer na distância.

E foi nesse momento que ocorreu uma coisa muito estranha e inesperada. Tínhamos nos levantado de nossas pedras e nos virávamos para voltar, tendo abandonado a caçada perdida. A lua estava baixa à direita, e o cume irregular de um pico de granito se elevava contra a curva inferior de seu disco prateado. Ali, tão negro como uma estátua de ébano naquele pano de fundo brilhante, vi a figura de um homem sobre o pico. Não pense que foi uma ilusão, Holmes. Eu lhe asseguro que nunca na minha vida vi nada mais claro. Pelo que pude julgar, o vulto era o de um homem alto e magro. Estava com as pernas um pouco separadas, os braços dobrados, a cabeça curvada, como se estivesse meditando sobre aquele enorme descampado de turfa e granito que tinha diante de si. Talvez fosse o espírito daquele lugar terrível. Não era o condenado. Estava muito longe do lugar onde o último desaparecera. Além disso, era muito mais alto. Com um grito de surpresa, eu o apontei para o baronete, mas no momento em que me virei para agarrar o seu braço, o homem sumiu. Lá estava o pico agudo de granito ainda cortando a borda inferior da lua, mas o cume já não trazia vestígios do vulto silencioso e imóvel.

Quis andar naquela direção e explorar o pico, mas ficava distante. Os nervos do baronete ainda tremiam por causa do uivo que recordava a história negra da sua família, e ele não tinha ânimo para novas aventuras. Não vira o homem solitário sobre o pico, e não podia sentir a emoção que a sua estranha presença e atitude imponente me causaram. – Um guarda, sem dúvida – disse ele. – A charneca está cheia de guardas desde que esse sujeito fugiu. – Bem, talvez a sua explicação seja a correta, mas eu gostaria de ter mais provas disso. Hoje pretendemos comunicar ao povo de Princetown onde devem procurar o fugitivo, mas é um azar não termos conseguido o triunfo de levá-lo de volta como nosso prisioneiro. Essas são as aventuras da noite passada, e você deve reconhecer, meu caro Holmes, que desempenhei muito bem minha tarefa de relator. Grande parte do que lhe contei é sem dúvida bastante irrelevante, mas ainda sinto que é melhor lhe dar todos os fatos e deixar que você mesmo selecione aqueles que o ajudarão a tirar as suas conclusões. Estamos certamente fazendo progressos. Quanto aos Barrymore, descobrimos o motivo de suas ações, e isso aclarou bastante a situação. Mas a charneca com os seus mistérios e seus estranhos habitantes ainda continua tão inescrutável quanto antes. Talvez no meu próximo relatório eu possa lançar alguma luz também sobre esse ponto. O melhor de tudo seria se você pudesse vir ao nosso encontro.

10. Trechos do Diário do Dr. Watson

Até o momento pude citar passagens dos relatórios que mandei a Sherlock Holmes durante os primeiros dias de minha missão. Agora, entretanto, cheguei a um ponto na minha narrativa em que sou obrigado a abandonar esse método e a confiar mais uma vez nas minhas lembranças, ajudado pelo diário que mantinha na época. Alguns trechos desse último me transportarão àquelas cenas que estão indelevelmente gravadas com todos os seus detalhes na minha memória. Começo, portanto, na manhã que se seguiu à nossa caçada frustrada do condenado e às nossas outras experiências estranhas na charneca.

16 de outubro – Um dia nublado e sombrio, com uma garoa. A casa está cercada de nuvens agitadas, que se elevam de vez em quando para revelar as curvas melancólicas da charneca, com veios finos e prateados nas encostas dos morros, e penedos distantes cintilando nos pontos em que a luz atinge suas faces úmidas. O clima é melancólico dentro e fora de casa. O baronete está tendo uma reação adversa depois das emoções da noite. Eu mesmo sinto um peso no coração e tenho a sensação de um perigo iminente – sempre presente, e ainda mais terrível porque não sou capaz de defini-lo.

E não tenho razões para esses sentimentos? Considere-se a longa sequência de incidentes que apontam todos para uma influência sinistra operando ao nosso redor. A morte do último morador do Solar, que preenche tão perfeitamente as condições da lenda da família, e os repetidos relatos dos camponeses sobre a aparição de uma estranha criatura na charneca. Duas vezes escutei com meus próprios ouvidos o som que parecia o latido distante de um cão. É inacreditável, impossível, que haja realmente alguma coisa alheia às leis comuns da natureza. Um cão fantasmagórico que deixa pegadas materiais e enche o ar com seus uivos está certamente fora de cogitação. Stapleton pode aceitar essa superstição, e Mortimer também. Mas se eu tenho uma qualidade nesta terra é o bom-senso, e nada vai me persuadir a acreditar numa coisa dessas. Incorrer nesse erro seria descer ao nível desses pobres camponeses que não se contentam com um simples cão demoníaco, mas precisam descrevê-lo com o fogo do inferno saindo de sua boca e de seus olhos. Holmes não daria ouvidos a essas fantasias, e sou o seu agente. Mas fatos são fatos, e duas vezes já escutei esse uivo na charneca. Vamos supor que realmente houvesse um enorme cão solto na região, o que serviria para explicar tudo. Mas onde um cão desse tamanho ficaria escondido, onde conseguiria comida, de onde viria, e por que nunca era visto de dia?

É preciso admitir que a explicação natural oferece quase tantas dificuldades quanto a outra. E, independentemente do cão, sempre é preciso levar em conta o fato de que houve ação humana em Londres, o homem no carro de aluguel, a carta que alertava Sir Henry contra a charneca. Esta era pelo menos real, mas tanto poderia ter sido obra de um amigo protetor como de um inimigo. Onde estava esse amigo ou inimigo agora? Tinha permanecido em Londres, ou nos seguira até a região? Seria... seria ele o estranho que eu vira sobre o morro?

É verdade que tive apenas um vislumbre desse estranho, mas há certas coisas que estou disposto a jurar. Ele não é nenhuma das pessoas que conheci por aqui, e já entrei em contato com todos os vizinhos. O vulto era muito mais alto que o de Stapleton, muito mais magro que o de Frankland. Poderia ser Barrymore, mas nós o tínhamos deixado em casa, e tenho certeza de que não poderia ter nos seguido. Portanto, um estranho ainda está nos seguindo, assim como um estranho nos seguira em Londres. Nunca nos livramos dele. Se eu pudesse pôr as mãos nesse homem, poderíamos finalmente acabar com todas as nossas dificuldades. É a esse fim que devo dedicar todas as minhas energias.

O meu primeiro impulso foi contar a Sir Henry todos os meus planos. O meu segundo impulso, mais sábio, é fazer a minha parte e falar o menos possível para quem quer que seja. Sir Henry está calado e distraído. Seus nervos foram estranhamente abalados por aquele som na charneca. Não vou dizer nada que possa aumentar sua ansiedade, mas vou tomar minhas providências para atingir meu fim.

Hoje tivemos uma pequena cena depois do café da manhã. Barrymore pediu permissão para falar com Sir Henry, e eles se fecharam no escritório por pouco tempo. Sentado na sala do bilhar, ouvi mais de uma vez o som das vozes aumentar, e tinha uma ideia bastante clara do que estava em discussão. Depois de algum tempo, o baronete abriu a porta e me chamou.

– Barrymore acha que tem motivo de queixa – disse ele. – Pensa que foi injusto de nossa parte perseguir o seu cunhado, quando ele, por livre e espontânea vontade, nos contou o segredo.

O mordomo estava de pé, muito pálido mas muito senhor de si, diante de nós.

– Posso ter falado com demasiada veemência, senhor – disse ele –, e se o fiz, peço perdão. Por outro lado, a minha surpresa foi grande quando ouvi os senhores cavalheiros voltarem hoje de manhã e fiquei sabendo que andaram perseguindo Selden. O pobre sujeito já tem o bastante com que lutar, sem que eu coloque ainda mais gente no seu encalço.

– Se você tivesse nos contado o segredo por livre e espontânea vontade, seria diferente – disse o baronete. –

Você... ou melhor, a sua esposa só nos contou a verdade, quando vocês dois se viram obrigados a falar e nada mais podiam fazer para evitar a confissão.

– Não pensei que fossem se aproveitar do que lhes contei, Sir Henry... realmente não pensei.

– O homem é um perigo público. Há casas solitárias espalhadas pela charneca, e ele é um sujeito que mataria por qualquer coisa. Basta ver a expressão da sua face para saber disso. Pense na casa do Sr. Stapleton, por exemplo, onde não há ninguém a não ser ele próprio para defendê-la. Não há segurança para os moradores, enquanto ele não for trancafiado.

– Ele não vai arrombar nenhuma casa, senhor. Eu lhe dou a minha palavra. E não vai perturbar mais ninguém nesta região. Eu lhe asseguro, Sir Henry, que em poucos dias estarão prontos os arranjos necessários, e ele partirá rumo à América do Sul. Pelo amor de Deus, senhor, eu lhes peço que não digam à polícia que ele ainda está na charneca. Eles desistiram da perseguição nessa região, por isso ele pode aguardar em paz até que o navio esteja pronto para zarpar. Os senhores não podem dar informações sobre ele, sem criar encrenca para mim e para minha esposa. Eu lhe peço, senhor, que nada diga à polícia.

– O que você acha, Watson?

Dei de ombros. – Se ele saísse do país, seria uma carga a menos para os que pagam impostos.

– Mas e o risco de ele pegar alguém antes de ir embora?

– Ele não seria louco de fazer uma coisa dessas, senhor. Nós lhe damos tudo o que precisa. Cometer um crime seria revelar o seu esconderijo.

– É verdade – disse Sir Henry. – Bem, Barrymore...

– Deus o abençoe, senhor, e eu lhe agradeço de todo o coração! A minha pobre esposa morreria, se ele fosse preso de novo.

– Acho que estamos nos tornando cúmplices de um crime, Watson. Mas, depois do que ouvimos, perdi a vontade de entregar o nosso homem, portanto não se fala mais nisso. Está bem, Barrymore, pode ir.

Com algumas palavras entrecortadas de gratidão, o homem se virou, mas hesitou e depois voltou.

– Foi tão bondoso conosco, senhor, que gostaria de fazer o possível para ajudá-lo como prova de nossa gratidão. Sei de uma coisa, Sir Henry, que talvez devesse ter contado antes, mas só a descobri muito tempo depois do inquérito. É sobre a morte do pobre Sir Charles.

O baronete e eu nos levantamos ao mesmo tempo.

– Você sabe como é que ele morreu?

– Não, senhor, não sei.

– O que é então?

– Sei por que ele estava no portão àquela hora. Era para se encontrar com uma mulher.

– Para se encontrar com uma mulher! Ele?

– Sim, senhor.

– E o nome da mulher?

– Não sei o nome, senhor, mas posso lhe dar as iniciais. As suas iniciais eram L.L.

– Como é que sabe disso, Barrymore?

– Bem, Sir Henry, o seu tio recebeu uma carta naquela manhã. Em geral ele recebia muitas cartas, pois era um homem público e conhecido pela sua generosidade, de modo que todos os que estavam em dificuldades recorriam a ele. Mas naquela manhã, por acaso, só havia uma carta, por isso ela me chamou atenção. Era de Coombe Tracey, e o endereço estava escrito com letra de mulher.

– E então?

– Então, senhor, não pensei mais sobre esse assunto, e nunca teria me lembrado disso, se não fosse por minha esposa. Há algumas semanas ela estava limpando o escritório de Sir Charles, que não fora mexido desde a sua morte, e encontrou as cinzas de uma carta queimada no fundo da lareira. A maior parte estava toda carbonizada, mas um pequeno pedaço, o final de uma página, estava íntegro, e nele ainda era possível ler as palavras, embora fossem acinzentadas contra um fundo negro. Tivemos a impressão de que era um pós-escrito no final da carta, e dizia: "Por favor, por favor, se for um cavalheiro, queime esta carta e esteja no portão às dez horas". Abaixo, no lugar da assinatura, estavam as iniciais L.L.

– Você tem esse pedaço de papel?

– Não, senhor, ele se desfez em pedacinhos quando o retiramos da lareira.

– Sir Charles tinha recebido outras cartas com a mesma letra?

– Bem, senhor, eu não prestava atenção nas suas cartas. Não teria notado essa carta em particular, se não tivesse chegado sozinha.

– E você tem ideia de quem seja L.L.?

– Não, senhor. Não sei mais do que o senhor. Mas gostaria que pudéssemos encontrar essa dama para saber mais sobre a morte de Sir Charles.

– Não entendo, Barrymore, como é que você ocultou essa informação importante.

– Bem, senhor, foi logo depois que começaram as nossas dificuldades. E além disso, senhor, nós dois gostávamos muito de Sir Charles, ainda mais depois de tudo que ele fez por nós. Investigar esse ponto não iria ajudar nosso pobre patrão, e sempre é bom tomar cuidado quando há uma dama envolvida no caso. Até o melhor de nós...

– Achou que poderia causar danos à sua reputação?

– Bem, senhor, achei que nada de bom sairia dessa história. Mas agora, como foi muito bondoso conosco, sinto que seria injusto não lhe contar o que sei sobre a questão.

– Muito bem, Barrymore, pode ir.

Quando o mordomo nos deixou, Sir Henry se virou para mim. – Bem, Watson, o que você acha desta nova luz?

– Parece tornar a escuridão ainda mais negra que antes.

– É o que também acho. Mas se pudéssemos descobrir L.L., a dama esclareceria toda a história. Já conseguimos alguma coisa. Sabemos que há alguém que conhece os fatos, se for possível encontrar essa pessoa. O que você acha que devemos fazer?

– Passar logo essa informação para Holmes. Vai lhe dar a pista que está procurando. Se não me engano, essa notícia vai trazê-lo para cá.

Fui imediatamente para o meu quarto e redigi meu relatório da conversa matinal para Holmes. Era evidente que ele andava muito ocupado ultimamente, pois as notas que eu recebia de Baker Street eram poucas e curtas, sem nenhum comentário sobre as informações que eu lhe passava, e quase nenhuma referência à minha missão. Sem dúvida, o seu caso de chantagem estava absorvendo todas as suas faculdades. Gostaria que ele estivesse aqui.

17 de outubro – Hoje a chuva caiu o dia todo, fazendo farfalhar a trepadeira e pingando do beiral. Pensei no condenado lá fora na charneca desolada, fria e desabrigada. Pobre sujeito! Quaisquer que fossem os seus crimes, já sofrera um pouco para expiá-los. E depois pensei no outro, o rosto no carro de aluguel, o vulto contra a lua. Estaria também lá fora nesse dilúvio, o observador nunca visto, o homem da escuridão? À tardinha pus minha capa de chuva e andei bastante pela charneca enlameada, cheio de fantasias negras, a chuva batendo na minha face e o vento assobiando nos meus ouvidos. Que Deus ajudasse os que erravam pelo grande atoleiro nessa hora, pois até as terras firmes estavam se transformando num lamaçal. Descobri o Black Tor onde vira o observador solitário, e de seu cume escarpado também olhei para o terreno ondulado e melancólico. Rajadas de chuva passavam pela sua superfície castanho-avermelhada, e as nuvens pesadas e cinza-azuladas pendiam baixas sobre a paisagem, arrastando guirlandas cinzentas pelas encostas dos morros fantásticos. Na depressão distante à esquerda, meio escondidas pela névoa, as duas torres finas do Solar Baskerville se elevavam acima das árvores. Eram os únicos sinais visíveis de vida humana, à exceção apenas daquelas cabanas pré-históricas que existiam em tão grande número nas encostas dos morros. Em nenhum lugar havia qualquer vestígio daquele homem solitário que eu vira naquele mesmo lugar duas noites antes.

Enquanto caminhava de volta, fui abordado pelo Dr. Mortimer que dirigia seu pequeno carro por uma trilha acidentada da charneca, que tinha início na fazenda distante de Foulmire. Ele tem sido muito atencioso conosco, e ainda não se passou nenhum dia em que não tenha nos visitado no Solar para saber se estamos bem. Insistiu que eu subisse no seu carro e me deu uma carona para casa. Estava muito preocupado com o desaparecimento de seu pequeno spaniel. O cachorro tinha andado pela charneca e não voltara para casa. Eu o consolei como pude, mas pensei no pônei no atoleiro Grimpen, e acho que ele não vai mais encontrar o seu cachorrinho.

– Por sinal, Mortimer – disse eu, enquanto sacolejávamos pela estrada acidentada – suponho que são poucas as pessoas que moram nos arredores que você não conhece, não?

– Acho que conheço todas.

– Então pode me dizer o nome de alguma mulher que tenha as iniciais L.L.?

– Ele pensou por alguns minutos. – Não – disse ele. – É verdade que não sei o nome de algumas ciganas e trabalhadoras, mas entre os fazendeiros e a pequena nobreza não há ninguém com essas iniciais. Espere um pouco – acrescentou depois de uma pausa. – Há Laura Lyons, suas iniciais são L.L., mas ela mora em Coombe Tracey.

– Quem é ela? – perguntei.

– É a filha de Frankland.

– O quê? Do velho Frankland, o maluco?

– Exatamente. Ela se casou com um artista chamado Lyons, que veio fazer esboços na charneca. O sujeito se revelou um cafajeste e a abandonou. Pelo que ouvi, os erros talvez não tenham sido apenas de um lado. O pai dela se recusou a ajudá-la, porque ela tinha se casado sem o seu consentimento, e talvez também por uma ou duas outras razões. Assim, entre o velho e o jovem pecador, a moça passou por uma experiência bastante difícil.

– Como é que ela ganha o seu sustento?

– Acho que o velho Frankland lhe dá uma mesada, mas não pode ser muito, pois seus próprios negócios estão consideravelmente comprometidos. Fossem quais fossem os seus erros, não se podia deixá-la decair moralmente sem fazer nada. A sua história transpirou, e várias das pessoas da comunidade contribuíram para que ela pudesse ganhar honestamente o seu sustento. Stapleton foi um dos que ajudou, e Sir Charles outro. Eu próprio dei uma pequena quantia. Era para que ela estabelecesse um negócio de datilografia.

Ele queria saber o objetivo das minhas perguntas, mas consegui satisfazer a sua curiosidade sem lhe contar muito, pois não há razão para que eu faça confidências a ninguém. Amanhã de manhã vou descobrir como se vai a Coombe Tracey, e se puder falar com essa Sra. Laura Lyons, de reputação duvidosa, terei dado um grande passo para esclarecer um dos incidentes nessa cadeia de mistérios. Estou certamente adquirindo a sabedoria da serpente, pois quando Mortimer me pressionou com suas perguntas até se tornar inconveniente, eu lhe perguntei casualmente de que tipo era o crânio de Frankland, e só ouvi craniologia durante o resto do caminho. Não tenho vivido com Sherlock Holmes há anos para nada.

Só tenho mais um incidente a registrar nesse dia tempestuoso e melancólico. Foi a minha conversa com Barrymore há pouco, que me dá um outro trunfo que poderei usar no devido tempo.

Mortimer tinha ficado para jantar, e ele e o baronete jogaram *écarté* mais tarde. O mordomo me trouxe café na biblioteca, e aproveitei a oportunidade para lhe fazer algumas perguntas.

– Bem – disse eu – esse seu precioso parente já partiu, ou ainda está à espreita lá fora?

– Não sei, senhor. Deus queira que tenha partido, pois só nos trouxe encrencas! Não tenho notícia dele desde a última vez em que lhe levei comida, e isso foi há três dias.

– Você o viu nessa ocasião?

– Não, senhor, mas a comida tinha desaparecido na próxima vez em que passei pelo local.

– Então ele certamente ainda está por lá.

– É o provável, senhor, a não ser que o outro homem tenha pegado a comida.

Parei com a xícara de café a meio caminho de meus lábios, e fitei Barrymore.

– Você sabe então que há outro homem na charneca?

– Sim, senhor, há outro homem na charneca.

– Você o viu?

– Não, senhor.

– Como é que sabe da sua presença então?

– Selden me falou dele, senhor, há uma semana ou mais. Ele também está se escondendo, mas não é um presidiário, pelo que pude averiguar. Não gosto disso, Dr. Watson... vou lhe ser franco, senhor, não gosto nada disso.
– Falava de repente com uma veemente sinceridade.

– Agora, escute, Barrymore! O meu único interesse nessa história é o bem-estar de seu patrão. Estou aqui apenas para ajudá-lo. Diga-me, com franqueza, do que é que você não gosta.

Barrymore hesitou por um momento, como se lamentasse o seu desabafo ou achasse difícil expressar seus sentimentos com palavras.

– São todas essas ocorrências, senhor – gritou por fim, apontando com a mão para a janela fustigada pela chuva que abria para a charneca. – Há jogo sujo em algum lugar, uma vilania sendo tramada, posso jurar! Vou ficar muito feliz, senhor, quando Sir Henry partir de volta para Londres!

– Mas o que é que lhe causa alarme?

– Pense na morte de Sir Charles! Foi bastante estranha, apesar de tudo o que disse o magistrado. Pense nos barulhos na charneca à noite. Ninguém a atravessa à noite, mesmo que seja pago para isso. Pense nesse estranho se escondendo lá fora, observando e esperando! O que é que está esperando? O que significa? Não significa nada de bom para quem tem o nome de Baskerville, e vou ficar muito feliz quando me livrar de tudo isso, no dia em que os novos criados de Sir Henry puderem tomar conta do Solar.

– Mas sobre esse estranho – disse eu. – Pode me dar alguma informação sobre ele? O que Selden falou? Descobriu onde ele se esconde ou o que anda fazendo?

– Ele o viu uma ou duas vezes, mas o estranho é esperto e não se denuncia. A princípio Selden achou que fosse a polícia, mas logo descobriu que o estranho tem profissão própria. Um cavalheiro, pelo que pôde perceber, mas não conseguiu descobrir o que estava fazendo.

– E onde ele disse que o estranho vivia?

– Entre as casas antigas na encosta do morro... as cabanas de pedra em que o povo antigo costumava viver.

– E a sua comida?

– Selden descobriu que o estranho tem um rapaz que trabalha para ele e lhe traz todo o necessário. Acho que ele vai a Coombe Tracey buscar o que precisa.

– Muito bem, Barrymore. Falaremos mais sobre isso noutra hora.

Quando o mordomo saiu, fui até a janela negra, e olhei através de um vidro embaçado para as nuvens impetuosas e para o contorno agitado das árvores varridas pelo vento. Se a noite está agitada dentro de casa, como não estará numa cabana de pedra na charneca? Que ódio tão violento pode levar um homem a se esconder num lugar desses com um tempo tão inclemente? E que propósito tão grave e sério exige sacrifício tão grande? Ali, naquela cabana na charneca, parecia estar o centro do problema que tem me afligido tão penosamente. Juro que não se passará outro dia sem que eu tenha feito o possível para chegar ao coração do mistério.

11. O Homem sobre o Morro

Os trechos de meu diário que constituem o último capítulo fizeram a narrativa avançar até o dia 18 de outubro, quando esses estranhos acontecimentos começaram a se encaminhar rapidamente para a sua terrível conclusão. Os incidentes dos dias seguintes estão indelevelmente gravados na minha memória, e posso narrá-los sem o auxílio das notas registradas na época. Começo, portanto, no dia seguinte àquele em que estabeleci dois fatos de grande importância: que a Sra. Laura Lyons de Coombe Tracey tinha escrito a Sir Charles Baskerville e marcado um encontro com ele no exato lugar e hora da sua morte, e que o homem à espreita na charneca devia ser procurado entre as cabanas de pedra nas encostas. De posse dessas duas informações, senti que me faltaria inteligência ou coragem, se não pudesse lançar alguma luz sobre esses pontos obscuros.

Na noite anterior, não tivera oportunidade de contar ao baronete o que tinha descoberto sobre a Sra. Lyons, pois o Dr. Mortimer jogara cartas com ele até muito tarde. No café da manhã, entretanto, eu lhe falei sobre a minha descoberta, e perguntei se ele queria me acompanhar até Coombe Tracey. Primeiro ele estava ansioso para ir, mas, pensando melhor, nós dois concluímos que se eu fosse sozinho, os resultados talvez fossem melhores. Quanto mais formal fosse a visita, menos informações poderíamos obter. Deixei Sir Henry no solar, portanto, não sem alguns escrúpulos de consciência, e parti para a minha nova empreitada.

Quando cheguei a Coombe Tracey, mandei Perkins parar os cavalos, e perguntei pela dama que eu viera interrogar. Não tive dificuldade de encontrar seu apartamento, que era central e bem equipado. Uma criada me introduziu sem cerimônia, e quando entrei na sala de estar, uma dama que estava sentada diante de uma máquina de escrever Remington se levantou de um pulo com um sorriso agradável de boas-vindas. Mas o seu rosto mudou para uma expressão de desaponto, quando viu que era um estranho, e ela se sentou de novo e perguntou o objetivo de minha visita.

A minha primeira impressão da Sra. Lyons foi de extrema beleza. Os olhos e os cabelos tinham a mesma cor castanha viva, e as maçãs do rosto, embora bastante cobertas de sardas, eram coradas com o rubor delicado das morenas, o rosado requintado que se esconde no coração da rosa amarela. Admiração foi, repito, a primeira impressão. Mas a segunda foi de crítica. Havia algo sutilmente errado com o rosto, uma rudeza de expressão, um brilho duro, talvez, nos olhos, uma lassidão nos lábios que estragavam a beleza perfeita. Mas esses foram, é claro, pensamentos posteriores. No momento, eu tinha simplesmente consciência de que estava na presença de uma mulher muito bela, e de que ela me perguntava as razões da minha visita. Foi só então que compreendi o quanto a minha missão era delicada.

– Tenho o prazer – disse eu – de conhecer o seu pai.

Era uma introdução desajeitada, e a dama me fez sentir o desacerto.

– Não tenho nada em comum com meu pai – disse ela. – Não lhe devo nada, e seus amigos não são meus amigos. Se não fosse pelo falecido Sir Charles Baskerville e outros corações bondosos, eu poderia ter morrido de fome que meu pai nem teria se importado.

– É sobre o falecido Sir Charles Baskerville que vim até aqui para falar com a senhora.

As sardas se acentuaram no rosto da dama.

– O que posso lhe dizer sobre ele? – perguntou, e os dedos brincavam nervosamente sobre as teclas de pontuação da sua máquina de escrever.

– A senhora o conhecia, não é verdade?

– Já lhe disse que devo muito à sua bondade. Se hoje sou capaz de me sustentar, é em grande parte graças ao interesse que ele demonstrou pela minha infeliz situação.

– A senhora se correspondia com ele?

A dama me olhou rapidamente, com um brilho zangado nos olhos castanhos.

– Qual é o objetivo dessas perguntas? – perguntou rispidamente.

– O objetivo é evitar um escândalo público. É melhor que responda as minhas perguntas do que correr o risco de que o assunto fuja ao nosso controle.

Ela ficou em silêncio, e a sua face estava muito pálida. Por fim levantou os olhos com um quê de temeridade e de desafio na sua atitude.

– Está bem, vou responder – disse. – Quais são as perguntas?

– A senhora se correspondia com Sir Charles?

– Eu certamente lhe escrevi uma ou duas vezes para agradecer a sua delicadeza e generosidade.

– Sabe as datas dessas cartas?

– Não.

– A senhora o encontrou alguma vez?

– Sim, uma ou duas vezes, quando ele veio a Coombe Tracey. Era um homem muito reservado, preferia fazer o bem sem alarde.

– Mas se o viu e lhe escreveu tão raramente, como é que ele sabia da sua situação para ser capaz de ajudá-la, como diz que fez?

Ela afastou as minhas dificuldades com a maior presteza.

– Vários cavalheiros conheciam a minha triste história e se uniram para me ajudar. Um desses foi o Sr. Stapleton, um vizinho e amigo íntimo de Sir Charles. Foi extremamente bondoso, e por meio dele é que Sir Charles ficou sabendo da minha situação.

Já sabia que Sir Charles Baskerville fizera de Stapleton o seu esmoler em várias ocasiões, por isso a declaração da dama tinha o cunho da verdade.

– A senhora escreveu alguma vez a Sir Charles para marcar um encontro com ele? – continuei.

A Sra. Lyons se ruborizou de raiva mais uma vez.

– Realmente, senhor, essa é uma pergunta muito extraordinária.

– Lamento, madame, mas preciso repeti-la.

– Então eu respondo... certamente que não.

– Nem no próprio dia da morte de Sir Charles?

O rubor desapareceu num instante, e me vi diante de uma face mortal. Os lábios secos não conseguiam falar o "Não" que eu mais vi que ouvi.

– Certamente a sua memória está lhe pregando uma peça – disse eu. – Posso até citar uma passagem da sua carta. Dizia: "Por favor, por favor, se for um cavalheiro, queime esta carta e esteja no portão às dez horas".

Pensei que tivesse desmaiado, mas ela se recuperou com um supremo esforço.

– Será que não existem mais cavalheiros? – disse ofegante.

– A senhora está sendo injusta com Sir Charles. Ele *realmente* queimou a carta. Mas às vezes uma carta pode ser legível, mesmo quando queimada. Reconhece então que a escreveu?

– Sim, eu a escrevi – gritou, derramando a alma numa torrente de palavras. – Eu a escrevi. Por que deveria negar? Não tenho do que me envergonhar. Eu queria que ele me ajudasse. Acreditava que se falasse com ele pessoalmente, poderia conseguir a sua ajuda, por isso marquei um encontro.

– Mas por que àquela hora?

– Porque acabara de saber que ele ia para Londres no dia seguinte e poderia se ausentar durante meses. Havia razões pelas quais eu não podia ir mais cedo ao seu encontro.

– Mas por que um encontro no jardim em vez de uma visita na casa?

– Acha que uma mulher poderia ir sozinha àquela hora até a casa de um homem solteiro?

– Bem, o que aconteceu quando chegou lá?

– Não fui.

– Sra. Lyons!

– Não, juro por tudo o que me é mais sagrado. Não fui. Aconteceu uma coisa que me impediu de ir.

– O que foi?

– É assunto particular. Não posso falar.

– Reconhece então que marcou um encontro com Sir Charles na hora e lugar em que ele morreu, mas nega ter ido ao seu encontro?

– Essa é a verdade.

Mais de uma vez a apertei com perguntas, mas não consegui passar desse ponto.

– Sra. Lyons – disse eu, enquanto me levantava dessa entrevista longa e inconclusiva – a senhora está assumindo uma responsabilidade muito grande e se colocando numa posição muito perigosa, ao não revelar inteiramente tudo o que sabe. Se eu tiver que pedir o auxílio da polícia, a senhora vai descobrir o quanto está seriamente comprometida. Se a sua posição é inocente, por que no primeiro momento negou ter escrito para Sir Charles naquela data?

– Porque receava que tirassem alguma falsa conclusão dessa história, e que eu me visse envolvida num escândalo.

– E por que insistiu tanto para que Sir Charles destruísse a carta?

– Se você leu a carta, deve saber.

– Não disse que li toda a carta.

– Você citou uma passagem.

– Citei o pós-escrito. Como disse, a carta foi queimada, e nem tudo estava legível. Eu lhe pergunto mais uma vez por que insistiu tanto para que Sir Charles destruísse a carta que recebeu no dia da sua morte.

– O assunto é particular.

– Mais uma razão para que evite uma investigação pública.

– Vou lhe contar então. Se ouviu algum comentário sobre a minha infeliz história, deve saber que fiz um casamento precipitado e tive razões para me arrepender.

– Foi o que ouvi.

– A minha vida tem sido uma perseguição incessante de um marido que abomino. A lei está do seu lado, e todos os dias me vejo diante da possibilidade de ser forçada a viver com ele. Na época em que escrevi essa carta a Sir Charles, ficara sabendo de uma possibilidade de recuperar a minha liberdade, se certas despesas fossem pagas. Essa perspectiva significava tudo para mim, paz de espírito, felicidade, amor próprio, tudo. Eu conhecia a generosidade de Sir Charles, e pensei que ele me ajudaria, se escutasse a história de meus lábios.

– Então por que não foi ao encontro?

– Porque recebi ajuda de outra fonte nesse meio tempo.

– Por que então não escreveu para Sir Charles e lhe explicou tudo isso?

– É o que teria feito, se não tivesse visto o anúncio de sua morte no jornal na manhã seguinte.

A história da mulher fazia sentido, e todas as minhas perguntas não conseguiram abalar sua coerência. Só me restava averiguar se ela tinha realmente aberto um processo de divórcio contra o marido perto da época da tragédia.

Era improvável que ela ousasse afirmar que não tinha ido ao Solar Baskerville se realmente lá estivera, pois seria necessário uma carruagem para levá-la a seu destino, e ela só poderia ter retornado a Coombe Tracey nas primeiras horas da manhã. Uma excursão dessas não podia ser mantida em segredo. Portanto, a probabilidade era de que a dama estivesse falando a verdade ou, pelo menos, parte da verdade. Saí frustrado e desanimado. Mais uma vez tinha me deparado com aquele muro branco que aparecia em todo caminho que eu tentava passar para atingir o objetivo da minha missão. No entanto, quanto mais pensava na dama e na sua atitude, mais sentia que alguma informação estava sendo ocultada de mim. Por que ela se tornara tão pálida? Por que resistia a admitir os fatos até ser forçada a reconhecê-los? Por que fora tão reticente na época da tragédia? Sem dúvida, a explicação de tudo isso não podia ser tão inocente como ela queria me fazer crer. No momento, porém, não podia prosseguir nessa direção, mas devia me voltar para a outra pista entre as cabanas de pedra na charneca.

E essa direção era muito vaga. Compreendi a minha dificuldade no caminho de volta, enquanto observava que morro após morro mostrava vestígios dos povos antigos. A única indicação de Barrymore fora que o estranho vivia numa dessas cabanas abandonadas, e muitas centenas delas estavam espalhadas pela imensidão da charneca. Mas eu tinha a minha experiência como guia, pois já vira o próprio homem de pé sobre o cume do Black Tor. Esse, portanto, deveria ser o centro da minha busca. Daquele ponto em diante, eu deveria explorar todas as cabanas na charneca até encontrar a que procurava. Se o homem estivesse lá dentro, eu deveria ouvir de seus próprios lábios, sob a mira de meu revólver se necessário, quem ele era e por que nos seguia há tanto tempo. Ele podia escapar de nós no meio da multidão de Regent Street, mas seria muito mais difícil fazer o mesmo na charneca solitária. Por outro lado, se eu encontrasse a cabana e o inquilino não estivesse em casa, deveria ficar lá dentro, por mais longa que fosse a vigília, aguardando o seu retorno. Holmes o deixara escapar em Londres. Seria realmente um triunfo para mim, se pudesse capturá-lo e obter um ponto que meu mestre não conseguira marcar.

Mais de uma vez a sorte estivera contra nós nessa investigação, mas agora por fim veio em minha ajuda. E o mensageiro da boa fortuna foi ninguém menos que o Sr. Frankland, que estava de pé, com seu bigode grisalho e face vermelha, na frente do portão de seu jardim, que abria para a estrada principal que eu estava percorrendo.

– Bom dia, Dr. Watson – gritou, com um bom humor inabitual. – Deve dar um descanso aos seus cavalos, entrar para tomar um copo de vinho e me dar os parabéns.

Os meus sentimentos em relação a ele estavam longe de ser amistosos, depois do que ouvira sobre o tratamento que dera à filha, mas eu estava ansioso para mandar Perkins e a carruagem de volta, e a oportunidade era boa. Desci do carro e mandei uma mensagem a Sir Henry, dizendo que caminharia de volta e estaria no solar para o jantar. Depois entrei com Frankland na sua sala de jantar.

– É um grande dia para mim, senhor, um dos dias felizes da minha vida – gritou, com muitas risadinhas. – Dois sucessos no mesmo dia. Pretendo ensinar ao povo dessa região que lei é lei, e que sou um homem que não receia invocá-la. Estabeleci um direito de passagem pelo centro do parque do velho Middleton, bem pelo meio do parque, a uns cem metros da sua porta da frente. O que acha disso? Com todos os diabos, vamos ensinar a esses magnatas que não podem tratar com arrogância os direitos dos comuns! E fechei a mata em que o pessoal de Fernworthy costumava fazer piquenique. Essa gente infernal parece achar que não existem direitos de propriedade, e que podem se aglomerar onde quiserem com seus papéis e garrafas. Ambos os casos decididos, Dr. Watson, e ambos a meu favor. Não tive um dia tão bom desde que ganhei o processo contra Sir John Morland por invasão de propriedade, porque ele atirou na sua própria coutada.

– Meu Deus, como é que conseguiu isso?

– Veja nos livros, senhor. Vale a pena ler... Frankland versus Morland, Tribunal Superior de Justiça. Custou-me 200 libras, mas consegui o meu veredicto.

– Você ganhou alguma coisa com isso?

– Nada, senhor, nada. Tenho orgulho de dizer que não tinha interesse na questão. Agi inteiramente por um sentimento de dever público. Não tenho dúvidas, por exemplo, de que o povo de Fernworthy vai queimar a minha efígie hoje à noite. Na última vez em que o povo tomou essa atitude, disse à polícia que eles deviam acabar com essas demonstrações vergonhosas. A polícia do condado está num estado escandaloso, senhor, e não me dá a proteção a que tenho direito. O caso de Frankland versus Regina vai chamar a atenção do público para essa questão. Eu lhes disse que um dia eles iriam se arrepender do tratamento que me dão, e as minhas palavras já se tornaram realidade.

– Como assim? – perguntei.

O velho assumiu uma expressão muito astuta.

– Porque eu poderia lhes dizer o que estão loucos para saber, mas nada vai me induzir a dar qualquer ajuda a esses patifes.

Eu andara procurando uma desculpa que me livrasse de escutar todos esses mexericos, mas de repente comecei a querer ouvir mais a respeito. Já conhecia o bastante da natureza contestadora do velho pecador para saber que qualquer forte sinal de interesse seria o meio mais seguro de interromper as suas confidências.

– Algum caso de roubo de caça, sem dúvida? – disse eu com um ar indiferente.

– Ah, ah, meu caro, uma questão muito mais importante que isso! Que me diz do condenado na charneca?

Estremeci. – Não vai me dizer que você sabe onde ele está? – disse eu.

– Posso não saber exatamente onde ele está, mas estou bastante seguro de que poderia ajudar a polícia a pegá-lo. Nunca lhe passou pela cabeça que o modo de pegar esse homem seria descobrir onde ele consegue a sua comida, e então seguir o rastro dos alimentos até o seu esconderijo?

Ele certamente parecia estar chegando desconfortavelmente perto da verdade. – Sem dúvida – disse eu – mas como é que você sabe que ele ainda está na charneca?

– Sei porque tenho visto com meus próprios olhos o mensageiro que lhe leva comida.

Meu coração estremeceu por Barrymore. Era um problema sério ficar à mercê desse velho intrometido e rancoroso. Mas o seu próximo comentário tirou um peso da minha mente.

– Vai ficar surpreso ao saber que é uma criança que lhe leva a comida. Eu a vejo todos os dias pelo meu telescópio no telhado. Passa pelo mesmo caminho à mesma hora, e com quem vai se encontrar senão com o condenado?

Isso é que era sorte! No entanto, reprimi todo sinal de interesse. Uma criança! Barrymore tinha dito que o nosso desconhecido recebia as refeições das mãos de um menino. Era a pista do estranho, e não a do condenado, que Frankland tinha descoberto por acaso. Se eu pudesse conseguir as suas informações, seria poupado de uma caçada longa e cansativa. Mas a incredulidade e a indiferença eram evidentemente os meus trunfos.

– Diria que é mais provável que seja o filho de um dos pastores da charneca levando o almoço para o pai.

O menor sinal de oposição arrancava centelhas do velho autocrata. Seus olhos me fitaram malevolamente, e o bigode grisalho se eriçou como o de um gato zangado.

– Realmente, senhor! – disse apontando para a imensidão da charneca. – Está vendo aquele Black Tor lá longe? Bem, está vendo o morro baixo mais além com o espinheiro no topo? É a parte mais cheia de pedras de toda a charneca. Acha provável que um pastor escolha um lugar desses para levar seus animais? A sua sugestão, senhor, é muito absurda.

Respondi humildemente que tinha falado sem conhecer todos os fatos. A minha submissão lhe agradou e levou-o a fazer mais confidências.

– Pode crer, senhor, que sempre tenho bons fundamentos antes de formar uma opinião. Várias vezes vi o menino com sua trouxa. Todos os dias, e até duas vezes por dia, posso... mas espere um momento, Dr. Watson. Meus olhos me enganam, ou não há neste momento alguma coisa se movendo naquela encosta?

O morro estava a muitos quilômetros de distância, mas eu via nitidamente um pontinho preto contra o pano de fundo verde fosco e cinza.

– Venha, senhor, venha! – gritou Frankland, subindo depressa a escada. – Vai ver com seus próprios olhos e julgar por si mesmo.

O telescópio, um instrumento formidável montado sobre um tripé, estava sobre o telhado plano de folhas de chumbo. Frankland cravou os olhos nele e deu um grito de satisfação.

– Rápido, Dr. Watson, rápido, antes de ele desaparecer no outro lado do morro!

Lá estava ele, sem dúvida, um pequeno garoto com uma trouxa sobre o ombro, subindo lentamente o morro. Quando chegou ao cume, vi a figura rústica e maltrapilha delineada por um instante contra o céu azul frio. Olhou ao redor, com um ar furtivo e secreto, como alguém que receasse perseguição. Depois desapareceu no outro lado do morro.

– Bem! Não tenho razão?

– Certamente, há um menino que parece ter uma missão secreta.

– E até um policial do condado adivinharia qual é essa missão. Mas não vão ouvir nem uma palavra de mim, e também lhe imponho silêncio, Dr. Watson. Nem uma palavra! Compreende?

– Como quiser.

– Eles me trataram vergonhosamente... vergonhosamente. Quando os fatos forem apresentados em Frankland versus Regina, eu me arrisco a imaginar que uma onda de indignação vai varrer o país. Nada me induziria a dar qualquer ajuda à polícia. Por eles, esses patifes poderiam queimar a mim na fogueira, e não apenas a minha efígie. Mas certamente não está indo embora! Vai me ajudar a esvaziar a garrafa em honra dessa grande ocasião!

Mas resisti a todos os seus convites e consegui dissuadi-lo de sua anunciada intenção de caminhar comigo até o solar. Segui pela estrada enquanto ele ainda podia me ver, e depois entrei pela charneca e enveredei para o morro pedregoso atrás do qual o menino tinha desaparecido. Tudo estava trabalhando a meu favor, e jurei que não seria por falta de energia ou perseverança que eu perderia a oportunidade que a sorte lançara no meu caminho.

O sol já estava se pondo quando cheguei ao cume do morro, e as longas encostas abaixo de mim estavam todas verdes douradas num lado e cinzentas no outro. Uma névoa pendia baixa sobre a linha longínqua do horizonte, da qual se projetavam as formas fantásticas de Belliver Tor e Vixen Tor. Sobre toda a imensidão não havia som, nem movimento. Um grande pássaro cinza, uma gaivota ou um maçarico, pairava no alto do céu azul. Ele e eu parecíamos ser os únicos seres vivos entre o imenso arco do céu e o descampado. A paisagem árida, a sensação de solidão, e o mistério e a urgência da minha tarefa, tudo me gelava o coração. Não se via sinal do menino. Mas bem abaixo de onde eu estava, numa fenda dos morros, havia um círculo de antigas cabanas de pedras, e no meio delas havia uma que ainda tinha telhado suficiente para servir de proteção contra o tempo. Meu coração deu um salto quando a vi. Ali devia ser a toca em que o estranho se mantinha à espreita. Por fim, o meu pé chegava ao limiar do seu esconderijo – o seu segredo estava ao meu alcance.

Ao me aproximar da cabana, caminhando tão de mansinho como Stapleton, quando com a rede suspensa chegava perto da borboleta pousada, me convenci de que o lugar estava sendo usado como habitação. Um caminho vago conduzia à abertura dilapidada que servia de porta. Tudo estava silencioso lá dentro. O desconhecido poderia estar à espreita na cabana ou andando pela charneca. Meus nervos vibravam com a sensação de aventura. Jogando fora o cigarro, fechei a mão sobre a coronha do revólver, e caminhando rapidamente até a porta, olhei para dentro. O lugar estava vazio.

Mas havia muitos sinais de que eu não seguira uma pista falsa. Era certamente o lugar onde o homem vivia. Alguns cobertores enrolados num impermeável estavam sobre a mesma laje de pedra sobre a qual o homem neolítico outrora adormecera. As cinzas de um fogo se amontoavam numa grelha rústica. Ao seu lado viam-se alguns utensílios de cozinha e um balde com água pela metade. Um monte de latas vazias mostrava que o lugar era ocupado há algum tempo, e quando meus olhos se acostumaram com a luz irregular, vi uma canequinha e uma garrafa de bebida alcoólica pela metade junto a um canto. No meio da cabana, uma pedra chata fazia as vezes de mesa, e sobre ela estava uma pequena trouxa de pano – a mesma, sem dúvida, que eu vira pelo telescópio no ombro do menino. Continha um pão, uma língua em conserva, e duas latas de pêssego em conserva. Quando voltei a colocá-la sobre a pedra, depois de a examinar, meu coração deu um pulo ao ver que embaixo havia uma folha de papel com palavras escritas. Ergui a folha, e li o seguinte, rabiscado grosseiramente a lápis:

"O Dr. Watson foi para Coombe Tracey."

Por um minuto fiquei ali com o papel nas mãos, tentando compreender o significado da curta mensagem. Era então eu, e não Sir Henry, que estava sendo perseguido por esse homem secreto. Ele não tinha me seguido pessoalmente, mas colocara um agente – o menino, talvez – no meu encalço, e este era o seu relatório. Era bem possível que, desde que chegara à charneca, eu não tivesse dado nenhum passo que não tivesse sido observado e relatado. Havia sempre aquela sensação de uma força invisível, uma rede fina jogada ao redor de nós com imensa habilidade e delicadeza, prendendo-nos tão sutilmente que só em momentos supremos é que percebíamos que estávamos na verdade enredados nas suas malhas.

Se havia um relatório, talvez houvesse outros, por isso revistei a cabana à sua procura. Mas não havia vestígios de nada parecido, nem consegui descobrir nenhum sinal que pudesse indicar o caráter ou as intenções do homem que vivia nesse lugar singular, exceto que devia ter hábitos espartanos e não fazia questão dos confortos da vida. Quando pensei nas chuvas fortes e olhei para o telhado aberto, compreendi como devia ser forte e obstinado o propósito que o mantinha nesse abrigo inóspito. Seria ele o nosso inimigo maligno, ou seria por acaso o nosso anjo da guarda? Jurei que não sairia da cabana sem saber.

Lá fora o sol se punha, e o horizonte a oeste ardia em tons vermelhos e dourados. O seu reflexo reverberava em manchas avermelhadas nas lagoas distantes que havia no meio do grande atoleiro Grimpen. Lá estavam as duas torres do Solar Baskerville, e mais além um borrão distante de fumaça que indicava a vila de Grimpen. Entre os dois pontos, atrás do morro, ficava a casa de Stapleton. Tudo era doce, harmonioso e pacífico à luz dourada do entardecer, mas enquanto eu contemplava a paisagem, a minha alma estava longe de partilhar a paz da natureza, antes estremecia com a incerteza e o terror daquele encontro que a cada instante se tornava mais próximo. Com os nervos tinindo, mas com um propósito determinado, fiquei no vão escuro da cabana e esperei com paciência sombria a chegada do inquilino.

Por fim, eu o escutei. De longe veio o tinido agudo de uma bota pisando na pedra. Depois outro e mais outro, cada vez mais perto. Eu me encolhi no canto mais escuro e engatilhei a pistola no bolso, determinado a não me revelar enquanto não tivesse a oportunidade de vislumbrar o estranho. Houve uma longa pausa, indicativa de que ele tinha parado. Depois mais uma vez os passos se aproximaram, e uma sombra passou pela abertura da cabana.

– Está uma bela noite, meu caro Watson – disse uma voz bem conhecida. – Acho realmente que você vai se sentir mais confortável aqui fora do que aí dentro.

12. Morte na Charneca

Por um ou dois minutos, fiquei sem respirar, incapaz de acreditar nos meus ouvidos. Depois recobrei os sentidos e a voz, enquanto um peso esmagador de responsabilidade parecia ser retirado de cima da minha alma como que por encanto. Aquela voz fria, incisiva e irônica só podia pertencer a um homem neste mundo.

– Holmes! – gritei. – Holmes!

– Saia – disse ele – e por favor tenha cuidado com o revólver.

Passei abaixado sob a verga rústica, e lá estava ele sentado numa pedra, os olhos acinzentados dançando divertidos enquanto fitavam minhas feições espantadas. Estava magro e esgotado, mas lúcido e alerta, o rosto inteligente bronzeado pelo sol e castigado pelo vento. Com seu terno de *tweed* e sua boina de pano, parecia qualquer outro turista na charneca, e tinha conseguido, com aquele gosto felino de limpeza pessoal que era uma de suas características, que o seu queixo se mostrasse tão liso e a sua roupa branca tão perfeita como se estivesse em Baker Street.

– Nunca fiquei mais feliz de ver alguém na minha vida – disse eu, apertando-lhe a mão.

– Nem mais espantado, hein?

– Bem, devo admitir.

– A surpresa não foi apenas de um lado, pode ter certeza. Não tinha ideia de que você encontrara meu refúgio ocasional, muito menos que estivesse dentro da cabana, até me encontrar a uns vinte passos da porta.

– Foi a minha pegada que me traiu?

– Não, Watson, receio que não conseguiria reconhecer a sua pegada dentre todas as pegadas do mundo. Se você quiser realmente me enganar, deve mudar de fabricante de tabaco, pois quando vejo a ponta de um cigarro marcado Bradley, Oxford Street, sei que meu amigo Watson está por perto. Está ali ao lado do caminho. Você o atirou, sem dúvida, naquele supremo momento em que investiu contra a cabana vazia.

– Exatamente.

– Foi o que pensei... E conhecendo a sua admirável tenacidade, sabia que estava emboscado, com a arma ao seu alcance, esperando o retorno do morador. Então você realmente pensou que eu fosse o criminoso?

– Eu não sabia quem você era, mas estava determinado a descobrir.

– Excelente, Watson! E como me localizou? Você me viu, talvez, na noite da caçada ao condenado, quando fui muito imprudente deixando que a lua se erguesse atrás de mim?

– Sim, eu o vi então.

– E, sem dúvida, revistou todas as cabanas até encontrar esta aqui, não?

– Não, o seu menino foi visto, e isso me forneceu um mapa de onde procurá-lo.

– O velho cavalheiro com o telescópio, sem dúvida. Não conseguia imaginar o que era, quando vi pela primeira vez a luz coruscando sobre a lente. – Ele se levantou e espiou para dentro da cabana. – Ah, vejo que Cartwright me trouxe alguns suprimentos. Que papel é esse? Então você esteve em Coombe Tracey, hein?

– Sim.

– Para ver a Sra. Laura Lyons?

– Exatamente.

– Ótimo! As nossas pesquisas têm evidentemente seguido linhas paralelas, e quando reunirmos os resultados, espero que o nosso conhecimento do caso seja bastante completo.

– Bem, estou sinceramente feliz por você estar aqui, pois na verdade a responsabilidade e o mistério estavam se tornando demasiados para os meus nervos. Mas como é que você veio parar nessa região, e o que anda fazendo? Pensei que estivesse em Baker Street trabalhando naquele caso de chantagem.

– É o que eu queria que você pensasse.

– Então você me usa, mas não confia em mim! – gritei com certa amargura. – Acho que merecia melhor tratamento de sua parte, Holmes.

– Meu caro amigo, você tem sido valioso para mim neste como em muitos outros casos, e peço que me perdoe se pareço ter lhe pregado uma peça. Na verdade, a minha atitude foi em parte por sua causa, pois foi por ter percebido o perigo que você estava correndo que vim para a região examinar o caso pessoalmente. Se eu tivesse vindo com Sir Henry e com você, é evidente que meu ponto de vista seria o mesmo de vocês, e a minha presença teria alertado nossos formidáveis adversários que ficariam de sobreaviso. Nas circunstâncias atuais, pude andar pela região como não teria conseguido fazer se estivesse no Solar, e continuo um fator desconhecido no caso, pronto a aplicar toda a minha força em qualquer momento crítico.

– Mas por que me manter no escuro?

– O fato de você saber da minha presença não nos teria ajudado, e poderia ter me denunciado. Você teria desejado me passar alguma informação, ou na sua bondade teria me trazido uma ou outra comodidade, e correríamos um risco desnecessário. Trouxe Cartwright comigo... você se lembra do garoto na agência de mensageiros? Ele tem cuidado das minhas necessidades: um pão e um colarinho limpo. De que mais precisa um homem? Ele tem me proporcionado um par extra de olhos em cima de um par muito ágil de pés, e ambos têm sido inestimáveis.

– Então os meus relatórios não serviram para nada!

– A minha voz tremia, enquanto recordava o trabalho e o orgulho com que os tinha redigido.

Holmes tirou um monte de papéis de seu bolso.

– Aqui estão os seus relatórios, meu caro amigo, e muito bem estudados, eu lhe asseguro. Tomei algumas ótimas providências, e eles me chegam às mãos só com o atraso de um dia. Devo cumprimentá-lo pelo zelo e inteligência que tem demonstrado num caso extraordinariamente difícil.

Eu ainda estava um tanto agastado por ter sido enganado, mas o calor do elogio de Holmes afastou a raiva da minha mente. Eu também sentia no fundo do coração que ele tinha razão no que dizia, e que fora realmente melhor para os nossos fins que eu não tivesse sabido da sua presença na charneca.

– Assim está melhor – disse ele, vendo o meu rosto se desanuviar. – E agora me conte o resultado de sua visita à Sra. Laura Lyons. Não foi difícil adivinhar que a sua ida a Coombe Tracey tinha o objetivo de vê-la, pois já sei que ela é a única pessoa na localidade que poderia nos auxiliar no caso. Na realidade, se você não tivesse ido hoje, é extremamente provável que eu teria ido amanhã.

O sol tinha se posto, e a noite estava caindo sobre a charneca. O ar se tornara frio, e entramos na cabana para nos aquecer. Ali, sentados juntos ao crepúsculo, contei a Holmes a minha conversa com a dama. Tão interessado se mostrou que tive de repetir várias partes duas vezes para satisfazer sua curiosidade.

– Isso é muito importante – disse ele, quando terminei de falar. – Preenche uma lacuna que eu não tinha conseguido compreender nesse caso tão complicado. Você sabe, talvez, que existe uma relação íntima entre essa dama e o homem Stapleton?

– Não sabia de nenhuma relação íntima.

– Não há dúvidas a esse respeito. Eles se encontram, se correspondem, há um total entendimento entre os dois.

Agora, isso coloca uma arma muito poderosa em nossas mãos. Se eu pudesse usá-la para afastar a sua esposa...

– A sua esposa?

– Agora sou eu que estou lhe dando uma informação, em troca de todas as que você me passou. A dama que passa por Srta. Stapleton é na realidade a esposa de Stapleton.

– Meu Deus, Holmes! Você tem certeza do que está dizendo? Como é que ele permitiu que Sir Henry se apaixonasse por ela?

– A paixão de Sir Henry não poderia fazer mal a ninguém exceto a Sir Henry. Ele cuidou para que Sir Henry não *fizesse a corte* à dama, como você próprio observou. Repito que a dama é sua esposa, e não sua irmã.

– Mas por que esse engano elaborado?

– Porque ele previu que ela lhe seria muito mais útil como uma mulher desimpedida.

Todos os meus instintos tácitos, minhas vagas suspeitas, tomaram de repente forma e se concentraram no naturalista. Naquele homem impassível e sem graça, com seu chapéu de palha e sua rede de caçar borboletas, eu tinha a impressão de ver algo terrível – uma criatura de infinita paciência e astúcia, com uma face sorridente e um coração assassino.

– É ele então o nosso inimigo... é ele que nos seguiu em Londres?

– É assim que interpreto o enigma.

– E o alerta... deve ter vindo dela!

– Exatamente.

A forma de uma vilania monstruosa, meio percebida, meio adivinhada, avultou na escuridão que me envolvia há tanto tempo.

– Mas você tem certeza disso, Holmes? Como é que sabe que a mulher é sua esposa?

– Porque ele se deixou levar pela conversa e lhe contou um trecho verdadeiro de sua autobiografia na ocasião em que o conheceu, uma confidência de que imagino se arrepende até hoje. Ele *foi* certa vez mestre-escola no norte da Inglaterra. Ora, não há ninguém mais fácil de descobrir do que um mestre-escola. Há agências educacionais pelas quais se pode identificar qualquer pessoa que tenha exercido a profissão. Uma pequena investigação me mostrou que uma escola se arruinara em circunstâncias atrozes, e que o dono, o nome era diferente, desaparecera com a mulher. A descrição batia com a de Stapleton. Quando fiquei sabendo que o desaparecido se dedicava à entomologia, a identificação ficou completa.

A escuridão estava se desfazendo, mas muito ainda se achava encoberto pelas sombras.

– Se essa mulher é na verdade a sua esposa, qual é o papel da Sra. Laura Lyons? – perguntei.

– Esse é um dos pontos em que suas pesquisas lançaram alguma luz. A sua entrevista com a dama esclareceu bastante a situação. Não sabia de um projeto de divórcio entre ela e o marido. Nesse caso, considerando Stapleton um homem solteiro, ela contava certamente com a possibilidade de se tornar a sua esposa.

– E quando ela ficar sabendo da verdade?

– Ora, então a dama pode vir a nos ajudar. A nossa primeira tarefa é procurá-la, nós dois juntos, amanhã. Não acha, Watson, que já está há muito tempo longe do seu encargo? O seu lugar devia ser no Solar Baskerville.

As últimas listas vermelhas tinham se desvanecido a oeste, e a noite caíra sobre a charneca. Algumas estrelas pálidas tremeluziam num céu violeta.

– Uma última pergunta, Holmes – disse eu, enquanto me levantava. – Certamente não há necessidade de segredos entre nós. Qual é o significado de tudo isso? O que ele tem em mente?

Holmes baixou a voz ao responder: – É assassinato, Watson... assassinato refinado, a sangue frio, deliberado.

Não me peça detalhes particulares. As minhas redes estão se fechando em torno dele, assim como as dele em torno de Sir Henry, e com a sua ajuda ele já está quase à minha mercê. Só há um perigo que ainda nos ameaça. É que ele ataque antes que estejamos preparados para atacar. Mais um dia, dois no máximo, já terei o meu caso inteiramente esclarecido, mas até lá cumpra o seu encargo com o mesmo zelo da mãe amorosa que cuida do filho doente. A sua missão hoje se justificava, mas quase desejaria que você não tivesse se afastado... Ouça!

Um grito terrível, um berro prolongado de horror e angústia irrompeu no silêncio da charneca. Esse grito apavorante gelou o sangue nas minhas veias.

– Oh, meu Deus! – disse ofegante. – O que é isso? O que significa?

Holmes tinha se levantado com um pulo, e eu via a sua silhueta escura e atlética na porta da cabana, os ombros curvados, a cabeça atirada para a frente, o rosto espiando a escuridão.

– Silêncio! – sussurrou. – Silêncio!

O grito fora alto por causa da sua veemência, mas tinha vindo de algum lugar ao longe na planície coberta de sombras. Agora explodia em nossos ouvidos, mais perto, mais alto, mais urgente que antes.

– De onde vem? – murmurou Holmes, e eu senti pela emoção na sua voz que ele, o homem de ferro, estava abalado até o mais íntimo de sua alma. – De onde vem, Watson?

– Acho que dali – apontei na escuridão.

– Não, dali!

Mais uma vez o grito de agonia varreu a noite silenciosa, mais alto e mais perto do que nunca. E um novo som se misturou ao berro, um ronco grave e abafado, musical mas ameaçador, aumentando e diminuindo como o murmúrio baixo e constante do mar.

— O cão! — gritou Holmes. — Vamos, Watson, vamos! Meu Deus, espero que não seja tarde demais!

Ele tinha começado a correr rapidamente pela charneca, e eu seguia nos seus calcanhares. Mas então de algum lugar no meio do terreno acidentado imediatamente à nossa frente veio um último grito desesperador, e depois uma pancada seca e pesada. Paramos e escutamos. Nenhum outro som quebrava o silêncio pesado da noite sem vento.

Vi Holmes pôr a mão na testa, como um homem perturbado. Batia com o pé no chão.

— Ele nos venceu, Watson. Chegamos tarde demais.

— Não, não, certamente que não.

— Fui um tolo por não ter feito alguma coisa. E você, Watson, veja o que arrumou por ter abandonado o seu encargo! Mas, por Deus, se o pior aconteceu, vamos vingá-lo!

Corremos cegamente pela escuridão, tropeçando nos penedos, forçando o caminho pelo meio dos tojos, subindo ofegantes os morros e descendo a correr as encostas, seguindo sempre na direção de onde tinham vindo aqueles sons terríveis. Em cada elevação Holmes olhava ansiosamente ao redor, mas as sombras cobriam a charneca e nada se movia na sua superfície árida.

— Está vendo alguma coisa?

— Nada.

— Mas espere, o que é isso?

Um gemido baixo chegara aos nossos ouvidos. Ali estava de novo à nossa esquerda! Naquele lado, uma série de rochas terminava num penhasco escarpado, que dava para um declive coberto de pedras. Sobre a sua superfície irregular estava espalhado um objeto escuro e irregular. Enquanto corríamos na sua direção, o contorno vago adquiriu uma forma definida. Era um homem prostrado de bruços, a cabeça dobrada para a frente num ângulo terrível, os ombros arredondados e o corpo contraído como se estivesse no ato de dar um salto mortal. Tão grotesca era a sua atitude que não consegui no primeiro momento compreender que aquele gemido fora o seu último suspiro. Nem um sussurro, nem um ruído vinha daquela figura escura sobre a qual nos debruçávamos. Holmes pôs a mão sobre ele e levantou-a de novo com uma exclamação de horror. O brilho do fósforo aceso brilhou sobre seus dedos sujos de sangue e sobre a poça medonha que se alargava lentamente sob o crânio esmagado da vítima. E brilhou sobre algo mais que afligiu e esmoreceu nossos corações – sobre o corpo de Sir Henry Baskerville!

Não havia possibilidade de nenhum de nós esquecer aquele peculiar terno de *tweed* avermelhado, o mesmo que ele tinha usado na primeira manhã em que o conhecemos em Baker Street. Tivemos um vislumbre bem nítido do terno, depois o fósforo vacilou e se apagou, assim como a esperança abandonava nossas almas. Holmes rugiu, e sua face brilhava branca em meio à escuridão.

– O animal! O animal! – gritei, com os punhos cerrados. – Oh, Holmes, nunca vou me perdoar por tê-lo abandonado ao seu destino.

– A culpa é mais minha que sua, Watson. Para ter o meu caso bem esclarecido e completo, joguei fora a vida do meu cliente. É o maior golpe que já me aconteceu na minha carreira. Mas como poderia saber, como *poderia* saber que ele iria arriscar a sua vida andando sozinho na charneca depois de todos os meus avisos?

– Que tenhamos escutado os seus gritos... meu Deus, esses gritos!... sem poder salvá-lo! Onde está esse cão brutal que lhe causou a morte? Talvez esteja à espreita entre aquelas rochas neste instante. E Stapleton, onde é que ele está? Vai responder por esse crime.

– Vai. Vou cuidar disso. O tio e o sobrinho foram assassinados. O primeiro morreu de susto pela visão do animal que achava ser sobrenatural, o segundo morreu na sua louca fuga para escapar do cão. Mas agora temos que provar a conexão entre o homem e o animal. À exceção dos rumores que ouvimos, não temos provas da existência do animal, pois Sir Henry evidentemente morreu da queda que sofreu. Mas, céus, por mais astucioso que seja, o sujeito estará em meu poder antes que se passe outro dia!

Com os corações amargurados, um de cada lado do corpo destroçado, ficamos ali esmagados por essa desgraça repentina e definitiva que acabara de forma tão lamentável com os nossos longos e penosos esforços. Depois, quando a lua nasceu, subimos ao topo das rochas de onde o nosso pobre amigo caíra, e do cume olhamos para a charneca mergulhada em sombras, meio prateada e meio obscura. Ao longe, a quilômetros de distância, na direção de Grimpen, brilhava uma única luz amarela e firme. Só podia provir da casa solitária dos Stapleton. Com uma praga amarga, sacudi o punho contra a luz que fitava.

– Por que não o agarramos imediatamente?

– Nosso caso não está completo. O sujeito é precavido e astucioso ao máximo. Não importa o que sabemos, mas o que podemos provar. Se damos um passo em falso, o patife ainda pode escapar.

– O que podemos fazer?

– Temos muito o que fazer amanhã. Hoje à noite só podemos realizar os últimos ofícios para nosso pobre amigo.

Juntos descemos pelo declive íngreme e nos aproximamos do corpo, preto e nítido entre as pedras prateadas. A agonia dos membros contorcidos me causou um espasmo de dor e encheu meus olhos de lágrimas.

– Temos que mandar buscar ajuda, Holmes! Não vamos conseguir carregá-lo até o Solar. Meu Deus, você está maluco?

Ele tinha dado um grito e se inclinado sobre o corpo. Agora estava dançando, rindo e apertando a minha mão. Seria realmente o meu amigo austero e contido? Emoções ocultas, sem dúvida!

– Uma barba! Uma barba! O homem tem uma barba!
– Uma barba?
– Não é o baronete... é... ora, é o meu vizinho, o condenado!

Com uma pressa febril, viramos o corpo, e a barba gotejante apontou para a lua clara e fria. Não podia haver dúvidas quanto à testa saliente, aos fundos olhos animais. Era na verdade a mesma face que eu vira brilhando à luz da vela sobre a rocha – a face de Selden, o criminoso.

Então num instante tudo ficou claro para mim. Lembrei que o baronete me contara que tinha dado suas roupas antigas a Barrymore. Esse as passara adiante para ajudar Selden a fugir. Botas, camisa, boné – tudo era de Sir Henry. A tragédia ainda era bastante negra, mas esse homem pelo menos merecia a morte pelas leis do país. Contei esses pormenores a Holmes, o meu coração palpitando de gratidão e alegria.

– Então as roupas causaram a morte do pobre coitado – disse ele. – É bastante claro que o cão foi atiçado por algum objeto de Sir Henry, muito provavelmente a bota que lhe foi surripiada no hotel, e por isso perseguiu esse homem até a morte. No entanto, há um detalhe singular: como é que Selden, na escuridão, sabia que o cão estava no seu encalço?

– Ele o escutou.

– O som de um cão na charneca não faria um homem calejado como este condenado experimentar um tal paroxismo de terror que ele preferiu correr o risco de ser recapturado gritando loucamente por socorro. Pelos seus gritos, deve ter percorrido uma distância bem grande depois de saber que o animal estava no seu encalço. Como é que ele sabia?

– Para mim, um mistério ainda maior é por que esse cão, supondo que todas as nossas conjecturas estejam corretas...

– Não estou supondo nada.

– Bem, então, por que esse cão estaria solto hoje à noite. Acho que ele nem sempre anda solto pela charneca. Stapleton não o soltaria, a menos que tivesse razões para pensar que Sir Henry estaria por aqui.

– A minha dificuldade é a mais formidável das duas, pois acho que muito em breve teremos uma explicação para a sua, enquanto a minha pode continuar a ser um mistério para sempre. A questão agora é saber o que faremos com o corpo desse pobre infeliz. Não podemos deixá-lo para as raposas e os corvos.

– A minha sugestão é colocá-lo numa das cabanas até comunicarmos o fato à polícia.

– Exatamente. Não tenho dúvida de que eu e você conseguimos carregá-lo até uma cabana. Ei, Watson, o que é isso? Por tudo que há de mais extraordinário e audacioso, é o próprio homem! Nem uma palavra que revele as suas suspeitas... nem uma palavra, senão meus planos se esfacelam.

Um vulto se aproximava pela charneca, e vi o brilho vermelho fosco de um charuto. A lua brilhava sobre ele, e reconheci a forma viva e o caminhar jovial do naturalista. Ele parou quando nos viu, mas depois continuou a andar na nossa direção.

– Ora, Dr. Watson, se não é você? O último homem que eu teria esperado ver na charneca a essa hora da noite. Mas, meu Deus, o que é isto? Alguém ferido? Não... não me diga que é o nosso amigo Sir Henry!

Ele passou ligeiro por mim e se inclinou sobre o morto. Escutei uma respiração forte, e o charuto caiu de seus dedos.

– Quem... quem é este sujeito? – gaguejou.

– É Selden, o homem que fugiu de Princetown.

Stapleton virou uma face terrível para nós, mas com um supremo esforço conseguiu dominar o seu espanto e desapontamento. Olhou bruscamente de Holmes para mim.

— Meu Deus! Que história chocante! Como é que ele morreu?

— Parece ter quebrado o pescoço ao cair dessas rochas. Meu amigo e eu estávamos passeando na charneca, quando ouvimos um grito.

— Eu também ouvi um grito. Foi o que me trouxe até cá. Estava preocupado com Sir Henry.

— Por que com Sir Henry em particular? – não pude deixar de perguntar.

— Porque eu tinha sugerido que ele nos visitasse hoje à noite. Quando não apareceu, fiquei surpreso e naturalmente me alarmei ao escutar gritos na charneca. Por sinal – seus olhos pulavam da minha face para a de Holmes – vocês escutaram alguma outra coisa além de um grito?

— Não – disse Holmes – você escutou?

— Não.

— Por que perguntou então?

— Oh, você deve conhecer as histórias que os camponeses contam sobre um cão fantasmagórico, e assim por diante. Dizem que se escuta o seu uivo à noite na charneca. Estava me perguntando se não haveria sinais desse som hoje à noite.

— Não escutamos nada parecido – disse eu.

— E qual é a sua teoria sobre a morte deste pobre sujeito?

— Não tenho dúvida de que a ansiedade e a exposição às intempéries fizeram com que perdesse a cabeça. Pôs-se a correr pela charneca enlouquecido e acabou caindo dessas pedras e quebrando o pescoço.

— Parece ser a teoria mais razoável – disse Stapleton, e deu um suspiro que tomei como um sinal de alívio. – E você o que acha, Sr. Sherlock Holmes?

Meu amigo inclinou a cabeça em sinal de cumprimento.

— Você é rápido em identificar as pessoas – disse ele.

– Nós o estávamos esperando na região, desde que o Dr. Watson apareceu por aqui. Você chegou a tempo de presenciar uma tragédia.

– Sim, realmente. Não tenho dúvida de que a explicação de meu amigo esclarece os fatos. Vou levar uma lembrança desagradável para Londres amanhã.

– Oh, você retorna amanhã?

– É a minha intenção.

– Espero que a sua visita tenha esclarecido um pouco todas essas ocorrências que têm nos deixado perplexos.

Holmes deu de ombros. – Nem sempre se pode ter o sucesso que se espera. Um investigador precisa de fatos, e não de lendas e rumores. Não é um caso satisfatório.

O meu amigo falava com a sua maneira mais franca e despreocupada. Stapleton ainda o olhava implacavelmente. Depois virou-se para mim.

– Eu ia sugerir que levássemos este pobre sujeito para a minha casa, mas isso daria um susto tão grande na minha irmã que não me acho no direito de fazer essa gentileza. Acho que se pusermos alguma coisa sobre a sua face, ele vai ficar protegido até amanhã de manhã.

Foi o que fizemos. Recusando a oferta de hospitalidade de Stapleton, Holmes e eu partimos para o Solar Baskerville, deixando o naturalista voltar sozinho para casa. Olhando para trás, vimos a figura se afastando lentamente pela imensa charneca, e atrás de seu vulto aquela única mancha preta sobre a encosta prateada que indicava o ponto em que jazia o homem que encontrara a morte de forma tão horrível.

– Estamos lutando corpo a corpo por fim – disse Holmes, enquanto caminhávamos juntos pela charneca. – Que coragem tem o sujeito! Como ele conseguiu se recompor diante do que deve ter sido um choque estarrecedor, quando descobriu que o homem errado fora vítima de sua trama! Eu lhe disse em Londres, Watson, e vou lhe dizer de novo, que nunca tivemos um inimigo mais à altura de nosso valor.

– Lamento que ele tenha visto você.

– Também lamentei a princípio. Mas não havia como evitar.

– Que efeito você acha que isso vai ter sobre seus planos, agora que ele sabe que você está aqui?

– Talvez faça com que ele fique mais cauteloso, ou talvez o leve a tomar medidas desesperadas. Como a maioria dos criminosos inteligentes, ele pode confiar demais na sua própria inteligência e imaginar que nos enganou redondamente.

– Por que não o prendemos logo?

– Meu caro Watson, você nasceu para ser um homem de ação. O seu instinto é sempre fazer algo enérgico. Mas supondo, para discutir o seu argumento, que o prendêssemos hoje à noite, de que isso nos adiantaria? Não podemos provar nada contra ele. A sua astúcia é diabólica! Se ele estivesse agindo por meio de um agente humano, ainda poderíamos obter alguma prova, mas mesmo que arrastássemos esse enorme cão para a luz do dia, não conseguiríamos pôr uma corda ao redor do pescoço de seu dono.

– Mas certamente temos um caso contra ele.

– Nem sombra de caso... apenas hipóteses e conjeturas. Seríamos motivo de risos no tribunal, se apresentássemos essa história e essa prova.

– Temos a morte de Sir Charles.

– Encontrado morto sem nenhuma marca sobre o corpo. Você e eu sabemos que ele morreu de puro susto, e também sabemos o que o assustou. Mas como vamos fazer com que doze jurados impassíveis compreendam isso? Onde estão os sinais do cão? Onde estão as marcas de suas presas? É claro, sabemos que um cão não morde um cadáver, e que Sir Charles já estava morto antes que o animal o alcançasse. Mas temos que *provar* tudo isso, e não temos condições de fazê-lo.

— Bem, e o caso de hoje à noite?

— Não estamos em melhores condições hoje à noite. Mais uma vez, não há nenhuma ligação direta entre o cão e a morte do homem. Não vimos o cão. Nós o escutamos, mas não podemos provar que ele estava seguindo o rastro desse homem. Há uma total ausência de motivo. Não, meu caro amigo, devemos admitir o fato de que não temos nenhum caso no presente, e que vale a pena correr qualquer risco para estabelecer uma acusação.

— E como você pretende fazer isso?

— Tenho grande esperança de que a Sra. Laura Lyons poderá nos ajudar, quando ela compreender claramente a sua situação. E também tenho meus planos. Para amanhã já basta o seu mal, mas antes do fim do dia espero ter finalmente o domínio da situação.

Não consegui tirar mais nada dele, e Holmes caminhou, perdido em pensamentos, até os portões de Baskerville.

— Você vai entrar?

— Sim, não vejo razão para continuar me escondendo. Uma última palavra, Watson. Não fale do cão para Sir Henry. Deixe que ele pense que a morte de Selden foi assim como Stapleton gostaria que acreditássemos. Desse modo terá mais coragem para as dificuldades que precisará enfrentar amanhã, quando deve ir, se me lembro bem do seu relatório, jantar com aquela gente.

— E eu também.

— Então você deve dar uma desculpa, pois ele deve ir sozinho. Isso será facilmente arranjado. E agora, se é tarde para o jantar, acho que estamos ambos com muita disposição para a ceia.

13. Armando as Redes

Sir Henry ficou mais satisfeito que surpreso ao ver Sherlock Holmes, pois já esperava há alguns dias que os acontecimentos recentes o trouxessem de Londres. Ergueu as sobrancelhas, entretanto, quando viu que meu amigo não tinha nem bagagem, nem explicações para a sua ausência. Entre nós dois, arrumamos tudo o que ele necessitava, e depois, durante uma ceia tardia, eu e Sherlock Holmes explicamos ao baronete a parte de nossa experiência que nos parecia desejável que ele conhecesse. Mas primeiro tive o dever desagradável de dar a notícia da morte de Selden para Barrymore e sua esposa. Para ele talvez tenha sido um verdadeiro alívio, mas ela chorou amargamente no seu avental. Para todo mundo, o condenado era o homem violento, meio animal e meio demônio; mas, para ela, continuava a ser o pequeno menino teimoso da sua infância, a criança que se agarrava na sua mão. Mau é realmente o homem que não tem nenhuma mulher para chorar por ele.

– Andei desanimado pela casa o dia todo desde que Watson saiu de manhã – disse o baronete. – Acho que sou digno de louvor, pois cumpri a minha promessa. Se não tivesse jurado que não sairia sozinho, poderia ter passado uma noite mais divertida, pois recebi uma mensagem de Stapleton me convidando a aparecer por lá.

– Não tenho dúvida de que teria passado uma noite mais divertida – disse Holmes secamente. – Por sinal, acho que não gostaria de saber que andamos chorando por você ter quebrado o pescoço.

Sir Henry arregalou os olhos. – Como assim?

– Este pobre infeliz estava com as suas roupas. Receio

que seu criado, que lhe deu a indumentária, tenha problemas com a polícia.

– Pouco provável. Não havia nenhuma marca nas peças, que eu saiba.

– Tanto melhor para ele... na verdade, tanto melhor para todos vocês, pois estão todos contra a lei a respeito dessa questão. Aliás, não sei bem se, como detetive consciencioso, o meu primeiro dever não seria prender a todos nesta casa. Os relatórios de Watson são documentos muito incriminadores.

– Mas e sobre o caso? – perguntou o baronete. – Conseguiu decifrar o enigma? Acho que Watson e eu estamos tão no escuro como quando aqui chegamos.

– Acho que em breve estarei numa posição de esclarecer bastante a questão. É um caso extremamente difícil e muito complicado. Há vários pontos que ainda precisam de luz... mas, apesar de tudo, está sendo resolvido.

– Tivemos uma experiência, como Watson sem dúvida lhe contou. Escutamos o cão na charneca, por isso posso jurar que nem tudo é vã superstição. Lidei com cães quando estava na América, e reconheço o som de um cão. Se você conseguir amordaçar e acorrentar esse cão, estou disposto a jurar que é o maior detetive de todos os tempos.

– Acho que vou certamente amordaçá-lo e acorrentá-lo, se você me ajudar.

– Farei tudo o que mandar.

– Muito bem, e vou lhe pedir que me obedeça no escuro, sem perguntar as minhas razões.

– Como quiser.

– Se fizer o que digo, acho que são grandes as probabilidades de que nosso pequeno problema logo estará resolvido. Não duvido...

Ele parou de repente e fitou fixamente um ponto no ar acima da minha cabeça. A lâmpada batia sobre a sua face, que de tão absorta e quieta poderia ser a de uma estátua clássica bem delineada, uma personificação do estado de alerta e expectativa.

– O que é? – nós dois gritamos.

Percebi quando baixou os olhos que estava reprimindo uma emoção interior. Suas feições ainda estavam serenas, mas os olhos brilhavam com um júbilo divertido.

– Desculpe a admiração de um conhecedor – disse ele, enquanto apontava com a mão para a série de retratos que cobriam a parede à sua frente. – Watson não admite que conheço um pouco de arte, mas é pura inveja, porque temos opiniões diferentes sobre o assunto. Agora, essa é uma série de excelentes retratos.

– Bem, fico contente de ouvir a sua opinião – disse Sir Henry, olhando com alguma surpresa para o meu amigo. – Não tenho a pretensão de conhecer esses assuntos, e seria melhor juiz de um cavalo ou de um boi que de uma pintura. Não sabia que você ainda acha tempo para estudar essas coisas.

– Sei o que é bom quando ponho os olhos na pintura, e é o que estou fazendo agora. Aquele ali é um Kneller, posso jurar, aquela dama de seda azul mais além, e o cavalheiro gordo de peruca deve ser um Reynolds. São todos retratos de família, não?

– Todos.

– Sabe os nomes?

– Barrymore tem me ensinado os nomes, e acho que posso repetir as minhas lições bastante bem.

– Quem é o cavalheiro com o telescópio?

– É o Contra-Almirante Baskerville, que serviu sob as ordens de Rodney nas Índias Ocidentais. O homem com o casaco azul e o rolo de pergaminho é Sir William Baskerville, que foi presidente de Comissões da Câmara dos Comuns no governo de Pitt.

– E este cavalheiro bem na minha frente... de veludo e renda negras?

– Ah, você tem razão de querer saber sobre esse personagem. É a causa de toda a infelicidade, o malvado Hugo, o que deu origem ao cão dos Baskerville. É pouco provável que seja esquecido.

Olhei com interesse e um pouco de surpresa para o retrato.

– Meu Deus! – disse Holmes. – Ele parece um homem bastante quieto e dócil, mas acho que há um demônio escondido em seus olhos. Eu o tinha imaginado mais forte e desordeiro.

– Não há dúvida sobre a autenticidade, pois o nome e a data, 1647, estão atrás da tela.

Holmes falou ainda um pouco, mas o retrato do velho fanfarrão parecia exercer um fascínio sobre ele, pois seus olhos sempre voltavam a fixá-lo durante a ceia. Foi só mais tarde, quando Sir Henry já tinha se retirado, que consegui seguir o fio de seus pensamentos. Ele me levou de volta à sala dos banquetes, com a vela do seu quarto na mão, e ergueu a luz contra o retrato manchado pelo tempo na parede.

– Está vendo alguma coisa neste retrato?

Olhei para o chapéu largo de plumas, os anéis cacheados, o colarinho de renda branca, e para a face severa e séria emoldurada por esses detalhes. Não era um semblante brutal, mas era afetado, duro e ríspido, com uma boca firme de lábios finos e um olhar friamente intolerante.

– Não se parece com alguém que você conheça?

– Há alguns traços de Sir Henry ao redor do maxilar.

– Uma sugestão, talvez. Mas espere um instante!

Subiu numa cadeira e, erguendo a luz com a mão esquerda, curvou o braço direito sobre o chapéu largo e ao redor dos longos cachos.

– Meu Deus do céu! – gritei espantado.

A face de Stapleton tinha saltado da tela.

– Ah, agora você está vendo. Os meus olhos foram

treinados para examinar faces, e não os seus adornos. É a primeira qualidade de um investigador criminal conseguir enxergar por trás de um disfarce.

– Mas isso é maravilhoso. Poderia ser o seu retrato.

– Sim, é um exemplo interessante de atavismo, que parece ser tanto físico como espiritual. O estudo de retratos de família é o suficiente para converter um homem à doutrina da reencarnação. O sujeito é um Baskerville... isso é evidente.

– Com pretensões à sucessão.

– Exatamente. Esse acaso do retrato nos forneceu um dos elos que nos faltavam. Nós o pegamos, Watson, nós o pegamos, e me arrisco a afirmar que antes de amanhã à noite ele estará esvoaçando em nossa rede tão indefeso como uma de suas borboletas. Um alfinete, uma rolha e uma cartolina, e nós o acrescentamos à coleção de Baker Street!

Irrompeu num de seus raros acessos de riso, enquanto se afastava do retrato. Poucas vezes escutei seu riso, e sempre pressagiou o mal para alguém.

Eu me levantei cedo de manhã, mas Holmes estava de pé ainda mais cedo, pois o vi subindo o caminho de entrada enquanto me vestia.

– Sim, vamos ter um dia cheio hoje – observou, enquanto esfregava as mãos com a alegria da ação. – As redes estão todas armadas, e o arrastão está prestes a começar. Antes do fim do dia, saberemos se pegamos o nosso grande peixe de queixo fino, ou se ele escapou pelas malhas da rede.

– Você já esteve na charneca?

– Fui a Grimpen mandar um aviso para Princetown sobre a morte de Selden. Acho que posso prometer que nenhum de vocês será incomodado por causa desse problema. E também me comuniquei com o meu fiel Cartwright, que certamente teria definhado junto à porta da minha cabana como um cachorro perto da sepultura do dono, se eu não tivesse tranquilizado a sua mente quanto à minha segurança.

– Qual é o próximo passo agora?

– Falar com Sir Henry. Ah, aí vem ele!

– Bom dia, Holmes – disse o baronete. – Você parece um general planejando a batalha com o chefe de seu estado-maior.

– É a situação exata. Watson estava me pedindo as suas instruções.

– E também quero saber quais são as minhas.

– Muito bem. Você tem o compromisso, pelo que sei, de jantar com nossos amigos Stapleton hoje à noite.

– Espero que também venha conosco. Eles são muito hospitaleiros, e tenho certeza de que vão ficar contentes de vê-lo.

– Lamento, mas Watson e eu temos que ir para Londres.

– Para Londres?

– Sim, acho que seremos mais úteis na cidade na presente conjuntura.

A face do baronete se tornou perceptivelmente comprida. – Esperava que vocês fossem me acompanhar durante todo esse caso. O Solar e a charneca não são lugares muito agradáveis, quando se está sozinho.

– Meu caro amigo, você deve confiar tacitamente em mim e fazer o que lhe digo. Pode falar a seus amigos que teríamos tido muito prazer em acompanhá-lo, mas que negócios urgentes exigiram a nossa presença na cidade. Esperamos retornar em breve a Devonshire. Vai se lembrar de lhes dar essa mensagem?

– Se você insiste.

– Não há alternativa, eu lhe asseguro.

Vi pela fronte anuviada do baronete que ele estava profundamente ofendido pelo que considerava nossa deserção.

– Quando pretendem partir? – perguntou friamente.

– Imediatamente depois do café da manhã. Vamos de carro até Coombe Tracey, mas Watson vai deixar as suas coisas como penhor de que voltará para a sua companhia. Watson, mande uma nota a Stapleton dizendo que lamenta não poder ir ao jantar.

– Estou com vontade de ir para Londres com vocês – disse o baronete. – Por que deveria ficar aqui sozinho?

– Porque é o seu posto na batalha. Porque você me deu a sua palavra de que cumpriria as minhas ordens, e estou dizendo que deve ficar.

– Está bem, então vou ficar.

– Mais uma ordem! Quero que vá de carro até Merripit House. Mas mande de volta a sua carruagem, e deixe bem claro para todos que pretende caminhar de volta para casa.

– Caminhar pela charneca?

– Sim.

– Mas isso é exatamente o que você me recomendou tantas vezes que eu não deveria fazer.

– Desta vez pode atravessar a charneca em segurança. Se eu não confiasse na sua força e coragem, não faria essa sugestão, mas é essencial que a siga.

– Então farei o que me pede.

– E se dá valor à sua vida, não cruze a charneca em nenhuma outra direção que não seja o caminho que vai de Merripit House para a estrada de Grimpen, e que é o seu trajeto natural para casa.

– Seguirei as suas instruções.

– Muito bem. Gostaria de partir assim que possível depois do café da manhã, para poder estar em Londres à tarde.

Eu estava muito espantado com esse programa, embora me lembrasse de que Holmes dissera a Stapleton na noite anterior que a sua visita terminaria no dia seguinte. Não me passara pela cabeça, entretanto, que ele quisesse que eu fosse junto, nem podia compreender como poderíamos estar os dois ausentes num momento que ele próprio declarava ser crítico. Não havia nada a fazer, entretanto, senão obedecer tacitamente. Assim nos despedimos de nosso triste amigo, e algumas horas mais tarde estávamos na estação de Coombe Tracey e despachávamos a carruagem de volta para casa. Um menino nos esperava na plataforma.

– Alguma ordem, senhor?

– Você vai tomar este trem para a cidade, Cartwright. Assim que chegar, vai mandar um telegrama para Sir Henry Baskerville, em meu nome, pedindo que, se achar a carteira que deixei cair na sua casa, ele por favor a envie pelo correio registrado para Baker Street.

– Sim, senhor.

– E pergunte no posto da estação se há uma mensagem para mim.

O menino retornou com um telegrama, que Holmes me entregou. Dizia:

"Telegrama recebido. Estou a caminho com mandado de prisão não assinado. Chego às cinco e quarenta – LESTRADE."

– É uma resposta ao meu telegrama desta manhã. Ele é o melhor dos profissionais, a meu ver, e podemos precisar da sua ajuda. Agora, Watson, acho que não podemos empregar melhor o nosso tempo do que fazendo uma visita à nossa conhecida, a Sra. Laura Lyons.

O seu plano de campanha começava a se tornar claro. Ele ia usar o baronete para convencer os Stapleton de que tínhamos realmente partido, quando na verdade retornaríamos no momento em que nossa presença fosse provavelmente necessária. Esse telegrama de Londres, se mencionado por Sir Henry aos Stapleton, afastaria as últimas suspeitas de suas cabeças. Eu já tinha a impressão de ver as nossas redes se fecharem em torno daquele peixe de queixo fino.

A Sra. Laura Lyons estava no seu escritório, e Sherlock Holmes começou a entrevista de um modo franco e direto que a surpreendeu bastante.

– Estou investigando as circunstâncias em torno da morte do falecido Sir Charles Baskerville – disse ele. – O meu amigo aqui, o Dr. Watson, me informou o que a senhora lhe comunicou, e também o que deixou de lhe comunicar, a respeito dessa questão.

– O que deixei de comunicar? – perguntou ela desafiadoramente.

– A senhora confessou que pediu a Sir Charles que estivesse no portão às dez horas. Sabemos que foi o lugar e a hora da sua morte. Mas a senhora não esclareceu que conexão existe entre esses acontecimentos.

– Não há nenhuma conexão.

– Nesse caso, a coincidência deve ser, na verdade, extraordinária. Mas acho que vamos conseguir estabelecer uma conexão no final das contas. Desejo falar com absoluta franqueza, Sra. Lyons. Consideramos que houve assassinato nesse caso, e as evidências podem implicar não só o seu amigo, Sr. Stapleton, como também a sua esposa.

A dama pulou da cadeira. – Sua esposa! – gritou.

– O fato não é mais segredo. A pessoa que tem passado por sua irmã é, na verdade, a sua mulher.

A Sra. Lyons voltara a se sentar. As mãos agarravam os braços da cadeira, e eu via que as unhas cor-de-rosa tinham se tornado brancas com a pressão dos dedos.

– Sua esposa! – repetiu. – Sua esposa! Ele não é casado.

Sherlock Holmes deu de ombros.

– Prove! prove! E se puder prová-lo... ! – O lampejo feroz de seus olhos prometia mais que quaisquer palavras.

– Vim preparado para isso – disse Holmes, tirando vários papéis de seu bolso. – Aqui está uma fotografia do casal tirada em York há quatro anos. Atrás está escrito "Sr. e Sra. Vandeleur", mas a senhora não terá dificuldade em reconhecê-lo, nem à sua mulher, se a conhece de vista. Aqui estão três descrições, redigidas por testemunhas fidedignas, do Sr. e da Sra. Vandeleur, que na época possuíam a escola particular St. Oliver's. Leia as descrições e veja se ainda pode duvidar da identidade dessas pessoas.

Ela olhou para os papéis, e depois levantou os olhos para nós com a face determinada e rígida de uma mulher desesperada.

– Sr. Holmes – disse ela – esse homem me pediu em casamento, se eu conseguisse me divorciar de meu marido. Ele me mentiu, o patife, de todas as maneiras imagináveis. Não me disse nem uma palavra de verdade. E por quê... por quê? Imaginei que fosse tudo por minha causa. Mas agora vejo que não passei de um instrumento nas suas mãos. Por que devo ser leal com ele que nunca foi leal comigo? Por que devo tentar protegê-lo das consequências de seus atos malvados? Pergunte-me o que quiser, e não lhe ocultarei nada. Uma coisa eu lhe juro, e é o seguinte: quando escrevi a carta, nunca imaginei que pudesse significar qualquer dano ao velho cavalheiro, que foi o mais generoso dos meus amigos.

– Acredito piamente, madame – disse Sherlock Holmes. – O relato desses acontecimentos deve ser muito doloroso para a senhora, e talvez fique mais fácil se eu lhe disser o que ocorreu, e a senhora pode me corrigir se cometo qualquer erro relevante. O envio da carta lhe foi sugerido por Stapleton?

– Ele a ditou.

– Presumo que a razão que lhe deu era que a senhora receberia ajuda de Sir Charles para as despesas legais relativas ao seu divórcio, não?

– Exatamente.

— E depois que a senhora mandou a carta, ele a dissuadiu de comparecer ao encontro, não foi?

— Ele me disse que seu amor próprio ficaria ferido se outro homem desse o dinheiro para esse fim, e que, embora fosse um homem pobre, daria até o seu último *penny* para eliminar os obstáculos que nos separavam.

— Ele parece ter um caráter muito consistente. E então a senhora nada mais soube sobre a questão até ler a notícia da morte no jornal?

— Não soube de mais nada.

— E ele a fez jurar que nada diria sobre o seu encontro com Sir Charles?

— Sim. Disse que a morte era muito misteriosa, e que certamente suspeitariam de mim, se os fatos fossem revelados. Ele me assustou para me manter em silêncio.

— Exatamente. Mas a senhora tinha as suas suspeitas?

Ela hesitou e baixou os olhos. — Eu o conhecia — disse. — Mas se tivesse sido leal comigo, ele teria contado com a minha lealdade.

— Acho que de maneira geral a senhora teve muita sorte — disse Sherlock Holmes. — A senhora o tinha nas mãos e ele sabia disso, mas ainda assim está viva. Durante alguns meses, a senhora andou na beira de um precipício. Devemos nos despedir agora, Sra. Lyons. É provável que receba em breve alguma mensagem nossa.

— O nosso caso se torna perfeito, e dificuldade após dificuldade se desvanece à nossa frente — disse Holmes, enquanto esperávamos a chegada do expresso da cidade. — Logo estarei em posição de poder apresentar numa narrativa coerente um dos crimes mais singulares e sensacionais dos tempos modernos. Os estudiosos de criminologia se lembrarão de incidentes análogos em Grodno, na Ucrânia, no ano de 1866, e há certamente os assassinatos Anderson na

Carolina do Norte, mas este caso possui algumas características que são inteiramente peculiares. Mesmo agora, ainda não temos nenhuma acusação clara contra esse homem muito astucioso. Mas ficarei muito surpreso, se ela não estiver bem clara antes de irmos dormir hoje à noite.

O expresso de Londres entrou rugindo na estação, e um homem pequeno e magro com cara de buldogue pulou de um vagão da primeira classe. Nós três apertamos as mãos, e vi imediatamente, pelo modo reverente com que Lestrade fitava meu companheiro, que ele aprendera um bocado desde os dias em que tinham trabalhado juntos pela primeira vez. Eu me lembrava muito bem do desprezo que as teorias do raciocinador costumavam então despertar no homem prático.

– Alguma coisa de bom? – perguntou.

– O melhor caso em anos – disse Holmes. – Temos duas horas antes de precisarmos pensar em agir. Acho que poderíamos empregar esse tempo comendo alguma coisa, e depois, Lestrade, vamos tirar a neblina de Londres da sua garganta, levando-o a respirar o ar puro da noite de Dartmoor. Nunca esteve por aqui? Ah, bem, acho que não vai esquecer a sua primeira visita.

14. O Cão dos Baskerville

Um dos defeitos de Sherlock Holmes – se é que na verdade se pode chamá-lo defeito – era que ele relutava ao máximo em comunicar todos os seus planos a qualquer outra pessoa até o instante da ação. Em parte, isso provinha sem dúvida da sua natureza despótica, que gostava de dominar e surpreender os que estavam ao redor. Em parte, era também por cautela profissional, o que o levava a não querer assumir nenhum risco. No entanto, o resultado era muito penoso para os que faziam o papel de seus agentes e assessores. Eu já sofrera várias vezes com isso, mas nunca como naquele longo percurso de carro pela escuridão. A grande provação estava à nossa frente. Estávamos por fim prestes a dar o golpe final, porém Holmes nada dizia, e eu só podia conjeturar qual seria o seu plano de ação. Os meus nervos vibravam com a expectativa, quando finalmente o vento frio em nossas faces e os espaços escuros e vazios nos dois lados da estrada estreita me revelaram que nos achávamos mais uma vez na charneca. Cada passo dos cavalos e cada giro das rodas nos aproximavam de nossa suprema aventura.

A nossa conversa era tolhida pela presença do cocheiro do carro alugado, por isso éramos obrigados a falar de banalidades, quando nossos nervos estavam tensos de emoção e expectativa. Foi um alívio para mim, depois dessa reserva pouco natural, quando finalmente passamos pela casa de Frankland e vimos que estávamos nos aproximando do Solar e da cena da ação. Não fomos com o carro até a porta, mas descemos perto do portão da avenida. Pagamos o cocheiro e mandamos que retornasse imediatamente a

Coombe Tracey, enquanto começávamos a caminhar para Merripit House.

– Está armado, Lestrade?

O pequeno detetive sorriu. – Assim como tenho as minhas calças, tenho um bolso na parte detrás, e assim como tenho esse bolso na parte detrás, tenho alguma coisa dentro dele.

– Ótimo! O meu amigo e eu também estamos preparados para emergências.

– Você está muito reticente sobre esse caso, Sr. Holmes. Qual é o jogo agora?

– Um jogo de espera.

– Palavra, não parece um lugar muito alegre – disse o detetive, com um estremecimento, olhando ao redor para as encostas sombrias do morro e para o imenso lago de neblina que pendia sobre o atoleiro Grimpen. – Estou vendo as luzes de uma casa à nossa frente.

– É Merripit House, o fim de nossa excursão. Peço que caminhe na ponta dos pés e não fale mais alto do que num sussurro.

Andamos cautelosamente pela trilha como se nos dirigíssemos para a casa, mas Holmes nos deteve quando estávamos a uns duzentos metros de distância.

– Aqui já está bom – disse ele. – Essas pedras à direita formam um excelente biombo.

– Devemos esperar aqui?

– Sim, vamos armar a nossa pequena emboscada aqui. Entre nessa cavidade, Lestrade. Você esteve dentro da casa, não foi, Watson? Pode me dizer qual é a posição das salas? O que são aquelas janelas com treliça nesta extremidade?

– Acho que são as janelas da cozinha.

– E aquela mais além, que brilha tão intensamente?

– É certamente a da sala de jantar.

– As cortinas estão levantadas. Você conhece melhor o terreno. Chegue mais perto sem fazer ruído e veja o que estão fazendo... mas, pelo amor de Deus, não deixe ninguém perceber que estão sendo observados!

Atravessei o caminho na ponta dos pés e me curvei atrás do muro baixo que rodeava o pomar mirrado. Arrastando-me pela sua sombra, alcancei um ponto de onde podia olhar pela janela sem cortina.

Havia apenas dois homens na sala, Sir Henry e Stapleton. Estavam sentados com os perfis virados para mim, um em cada lado da mesa redonda. Os dois fumavam charuto, e havia café e vinho na sua frente. Stapleton estava falando com animação, mas o baronete parecia pálido e distraído. Talvez a ideia daquela caminhada solitária pela charneca de mau agouro pesasse na sua mente.

Diante de meus olhos, Stapleton se levantou e deixou a sala, enquanto Sir Henry enchia mais uma vez o seu copo e se recostava na cadeira, tirando baforadas do seu charuto. Ouvi o estalo de uma porta e o som de botas triturando o cascalho. Os passos seguiram pelo caminho no outro lado do muro sob o qual eu estava agachado. Olhando por cima, vi o naturalista parar diante da porta de uma casinha no canto do pomar. Uma chave girou na fechadura, e quando ele entrou, um ruído curioso de passos arrastados veio do interior. Ficou só um ou dois minutos lá dentro, depois ouvi a chave girar mais uma vez, e ele passou por mim e tornou a entrar na casa. Eu o vi voltar para junto de seu convidado, e me arrastei sem fazer ruído para onde meus companheiros me esperavam para lhes contar o que vira.

– Você diz, Watson, que a dama não está lá? – perguntou Holmes, quando acabei meu relatório.

– Não.

– Onde é que ela pode estar então, pois não há luz em nenhuma outra sala a não ser na cozinha?

– Não tenho ideia de onde possa estar.

Já disse que sobre o grande atoleiro Grimpen pendia uma neblina densa e branca. Movia-se lentamente na nossa direção, e erguia-se como um muro naquele lado, baixo, mas denso e bem definido. A lua brilhava sobre a névoa, fazendo-a parecer um grande campo de gelo bruxuleante, os cumes dos morros distantes apontando como rochas presas na sua superfície. A face de Holmes estava virada para a neblina, e ele resmungava impacientemente enquanto observava o seu movimento indolente.

– Está se movendo na nossa direção, Watson.

– Isso é sério?

– Muito sério... a única coisa na terra que poderia estragar os meus planos. Ele não pode se demorar muito mais. Já são quase dez horas. O nosso sucesso e até a sua vida dependem de ele sair antes de a neblina cobrir o caminho.

A noite estava clara e bela no alto. As estrelas brilhavam frias e cintilantes, enquanto uma meia-lua banhava toda a cena com uma luz suave e incerta. Diante de nós estava o volume escuro da casa, com seu telhado serreado e suas chaminés frágeis nitidamente delineados contra o céu cheio de estrelas. As barras largas de luz dourada que saíam das janelas inferiores se estendiam pelo pomar e pela charneca. Uma delas foi de repente fechada. Os criados tinham deixado a cozinha. Restava apenas a lâmpada na sala de jantar onde os dois homens, o anfitrião assassino e o convidado desavisado, ainda tagarelavam fumando os seus charutos.

A cada minuto aquela planície de lã branca que cobria metade da charneca chegava mais perto da casa. Os seus primeiros farrapos finos já se enrolavam no quadrado dourado da janela iluminada. O muro no outro lado do pomar já estava invisível, e as árvores como que saíam de um torvelinho de vapor branco. Enquanto observávamos, guirlandas de névoa vinham se arrastando pelos dois cantos da casa e rolavam lentamente formando uma barreira densa, sobre a qual o andar de cima e o telhado flutuavam como um estranho navio num mar de sombras. Impulsivamente, Holmes dava pancadas na pedra à nossa frente e batia o pé na sua impaciência.

– Se ele não sair em quinze minutos, o caminho estará coberto pela névoa. Em meia hora, não conseguiremos enxergar as próprias mãos na nossa frente.

– Devemos nos afastar para um terreno mais alto?

– Sim, acho que seria melhor.

Assim, enquanto a barreira de névoa continuava a fluir, recuamos até ficarmos a pouco menos de um quilômetro da casa, e ainda assim aquele denso mar branco, com a lua prateando a sua superfície, não deixava de seguir seu curso lento e inexorável.

– Estamos indo longe demais – disse Holmes. – Não vamos correr o risco de ele ser atacado antes de poder chegar até nós. A qualquer custo devemos ficar onde estamos. – Ele se ajoelhou e colou a orelha no chão. – Graças a Deus, acho que ouço os seus passos.

O som de passos rápidos quebrou o silêncio da charneca. Agachados entre as pedras, fitávamos atentamente a barreira encimada de prata à nossa frente. Os passos se tornaram mais audíveis, e pelo meio da neblina, assim como por uma cortina, apareceu o homem que estávamos esperando. Ele olhou ao redor surpreso, quando saiu para a noite clara e iluminada pelas estrelas. Depois seguiu rapidamente pelo caminho, passou perto de onde estávamos, e continuou a subir a longa encosta atrás de nós. Enquanto caminhava, espiava sempre por sobre os ombros, como um homem que estivesse pouco à vontade.

– Sshh! – disse Holmes, e ouvi o clique agudo de uma pistola sendo engatilhada. – Cuidado! Está vindo!

De algum lugar no meio daquela barreira móvel vinha um ruído fino, claro e contínuo de passos. A nuvem estava a uns cinquenta metros de onde nos encontrávamos, e nós a fitávamos, todos os três, sem saber que horror estava prestes a irromper do seu seio. Eu estava ao lado de Holmes, e olhei por um instante para a sua face. Estava pálido e exultante, os olhos brilhando fortemente à luz da lua. Mas de repente eles saltaram, e seu olhar se tornou rígido e fixo, os lábios abertos de espanto. No mesmo instante, Lestrade deu um berro de terror e se jogou de bruços no chão. Eu me levantei de um pulo, a mão inerte agarrando a pistola, a mente paralisada pela forma terrível que saíra das sombras da neblina e pulara sobre nós. Era um cão, um enorme cão preto como carvão, mas não era um cão qualquer já visto por olhos mortais. A boca aberta expelia fogo, os olhos brilhavam com um fulgor ardente, o focinho, o pelo das costas e a papada delineados por chamas bruxuleantes. Jamais, nem mesmo no sonho delirante de uma mente alienada, foi concebido algo mais selvagem, mais apavorador, mais diabólico do que aquela forma escura e de face selvagem que irrompeu sobre nós da barreira de neblina.

Com longos saltos, a imensa criatura negra descia pela trilha, seguindo bem de perto os passos de nosso amigo. Tão paralisados ficamos com a aparição que o deixamos passar, antes de conseguirmos recobrar nosso sangue-frio. Então Holmes e eu atiramos juntos, e a criatura deu um uivo medonho, sinal de que pelo menos uma das balas a tinha atingido. Mas ela não parou, e continuou seu caminho aos saltos. Ao longe na trilha, vimos Sir Henry olhar para trás, a face branca à luz da lua, as mãos levantadas de horror, fitando indefeso o animal terrível que o estava caçando.

Mas aquele grito de dor do cão acabara com todos os nossos medos. Se o animal era vulnerável, é porque era mortal, e se podíamos feri-lo, podíamos matá-lo. Nunca vi um homem correr como Holmes correu naquela noite. Sou considerado veloz na corrida, mas ele me ultrapassou assim como eu tomei a dianteira do pequeno profissional.

À nossa frente, enquanto voávamos pela trilha, ouvíamos os gritos de Sir Henry e o rugido grave do cão. Cheguei a tempo de ver o animal pular sobre a sua vítima, atirá-la ao chão e sacudir a sua garganta. Mas, no momento seguinte, Holmes já esvaziava cinco tambores de seu revólver no flanco da criatura. Com um último uivo de agonia e uma mordida viciosa no ar, ele rolou sobre as costas, sacudindo furiosamente as quatro patas, e depois caiu mole para o lado. Eu me inclinei ofegante e pressionei a minha pistola contra a cabeça terrível e bruxuleante, mas era inútil apertar o gatilho. O cão gigantesco estava morto.

Sir Henry jazia inconsciente onde tinha caído. Abrimos o seu colarinho, e Holmes murmurou uma prece de gratidão, quando vimos que não havia sinal de ferimento e que o resgate fora a tempo. As pálpebras de nosso amigo já estremeciam, e ele fazia um esforço fraco para se mover. Lestrade despejou seu frasco de conhaque entre os dentes do baronete, e dois olhos assustados nos fitaram.

– Meu Deus! – sussurrou. – O que era isso? O que, em nome de Deus, era isso?

– Está morto, seja o que for – disse Holmes. – Acabamos com o fantasma da família para sempre.

Só em tamanho e força, já era terrível a criatura que jazia estendida diante de nós. Não era um cão de caça puro, nem era um mastim puro. Parecia uma combinação dos dois – ossudo, selvagem e do tamanho de uma pequena leoa. Mesmo então, na rigidez da morte, as imensas mandíbulas pareciam destilar uma chama azulada, e os olhos pequenos, fundos e cruéis tinham um aro de fogo. Coloquei a mão sobre o focinho brilhante, e quando a levantei, os meus próprios dedos ardiam e brilhavam na escuridão.

– Fósforo – disse.

– Um preparado engenhoso de fósforo – disse Holmes, cheirando o animal morto. – Não há nenhum cheiro que pudesse interferir com o seu faro. Nós lhe devemos muitas desculpas, Sir Henry, por tê-lo exposto a esse susto. Eu estava preparado para um cão, mas não para uma criatura dessas. E a neblina nos deu pouco tempo para recebê-lo.

– Você me salvou a vida.

– Depois de tê-la exposto ao perigo. Tem forças para se levantar?

– Se me derem outro gole daquele conhaque, estarei pronto para qualquer coisa. Assim! Agora, se me ajudarem a me levantar. O que pretendem fazer?

– Deixá-lo aqui. Você não está apto para novas aventuras hoje à noite. Se esperar aqui, um de nós o levará de volta para o solar.

Ele tentou se levantar cambaleando, mas ainda estava terrivelmente pálido e com tremor em todos os membros. Nós o ajudamos a andar até uma pedra, sobre a qual ele se sentou tremendo com a face enterrada nas mãos.

– Temos que deixá-lo agora – disse Holmes. – O resto de nosso trabalho deve ser feito, e cada momento é importante. Já temos o nosso caso, e agora só nos falta pegar o nosso homem.

– A nossa chance de encontrá-lo na casa é uma em mil – continuou, enquanto voltávamos sobre nossos passos rapidamente pelo caminho. – Os tiros devem ter lhe informado que o jogo terminou.

– Estávamos a uma certa distância, e essa neblina pode ter amortecido os sons.

– Ele seguiu o cão para chamá-lo de volta, disso pode ter certeza. Não, não, ele já está longe a essa altura! Mas vamos revistar a casa e nos certificar.

A porta da frente estava aberta, por isso entramos correndo e passamos de sala em sala, para o espanto de um velho criado trêmulo que nos encontrou no corredor. Não havia luz a não ser na sala de jantar, mas Holmes pegou a lâmpada e não deixou nenhum canto da casa sem ser explorado. Não conseguimos encontrar sinal do homem que estávamos procurando. No andar de cima, entretanto, uma das portas dos quartos estava trancada.

– Há alguém aí dentro! – gritou Lestrade. – Estou ouvindo movimentos. Abram esta porta!

Gemidos e sussurros fracos vinham lá de dentro. Holmes golpeou a porta bem acima da fechadura com a sola de sua bota, e ela se abriu de sopetão. Pistola na mão, entramos todos os três correndo no quarto.

Mas não havia sinal do patife temerário e desafiador que esperávamos encontrar. Em vez disso, nos vimos diante de um objeto tão estranho e tão inesperado que paramos um momento espantados.

O quarto fora transformado num pequeno museu, e as paredes estavam forradas por várias estantes com topo de vidro, repletas com a coleção de borboletas e mariposas que fora a diversão desse homem complexo e perigoso. No centro do quarto, uma coluna fora colocada em alguma época para apoiar a velha trave de madeira comida pelos cupins que se estendia pelo telhado. A esse poste estava amarrado um vulto, tão envolto e abafado nos lençóis usados para prendê-lo que ninguém no momento podia saber se era o vulto de um homem ou de uma mulher. Uma toalha passava ao redor da garganta, e estava amarrada na parte de trás do pilar. Outra cobria a parte inferior da face, e por cima dois olhos negros – olhos cheios de dor, vergonha e indagações terríveis – nos fitavam. Num minuto rasgamos a mordaça, desenrolamos as faixas, e a Sra. Stapleton tombou no chão diante de nós. Quando a sua bela cabeça caiu sobre o peito, vi o vergão vermelho bem nítido de uma chicotada no pescoço.

– O animal! – gritou Holmes. – Ei, Lestrade, o seu frasco de conhaque! Ponha-a na cadeira! Ela desmaiou por causa dos maus tratos e do cansaço.

Ela abriu os olhos de novo. – Ele está salvo? – perguntou. – Ele escapou?

– Não vai conseguir escapar de nós, madame.

– Não, não, não estou falando de meu marido. Sir Henry? Ele está bem?

– Sim.

– E o cão?

– Está morto.

Ela deu um longo suspiro de satisfação. – Graças a Deus! Graças a Deus! Oh, este patife! Vejam como ele me tratou! – Ela arregaçou as mangas, e vimos com horror que os braços estavam todos salpicados de contusões. – Mas isso não é nada... nada! É a minha mente e a minha alma que ele torturou e corrompeu. Eu podia suportar tudo, maus tratos, a solidão, uma vida de enganos, tudo, se ainda pudesse me agarrar à esperança de que tinha o seu amor, mas agora sei que também nisso fui enganada, não passei de um instrumento nas suas mãos. – Ela irrompeu em soluços apaixonados no meio de suas palavras.

– Você não lhe quer bem, madame – disse Holmes. – Diga-nos então onde é que podemos encontrá-lo. Se o ajudou a fazer o mal, ajude-nos agora e com isso expie a sua culpa.

– Só há um lugar para onde ele pode ter fugido – ela respondeu. – Há uma velha mina de estanho numa ilha no centro do atoleiro. Era ali que ele mantinha o seu cão, e foi ali também que fez alguns preparativos para que pudesse ter um refúgio. Foi para lá que ele fugiu.

A barreira de neblina parecia lã branca contra a janela. Holmes ergueu a lâmpada para iluminá-la.

– Veja – disse ele. – Ninguém conseguiria entrar no atoleiro de Grimpen hoje à noite.

Ela riu e bateu palmas. Os olhos e os dentes brilhavam com uma alegria feroz.

– Ele pode entrar, mas não vai conseguir sair – gritou. – Como poderá ver as varas de orientação hoje à noite? Nós as fincamos juntos, ele e eu, para marcar o caminho pelo atoleiro. Oh, se eu as tivesse arrancado hoje! Então ele ficaria à mercê de vocês.

Compreendemos que toda perseguição era inútil até que a neblina se desfizesse. Deixamos Lestrade tomando conta da casa, enquanto Holmes e eu retornávamos com Sir Henry ao Solar Baskerville. Já não podíamos lhe ocultar a história dos Stapleton, mas ele recebeu o golpe bravamente, quando ficou sabendo a verdade sobre a mulher que tinha amado. Mas o choque das aventuras da noite despedaçara os seus nervos, e antes do amanhecer ele delirava com febre alta, sob os cuidados do Dr. Mortimer. Para que Sir Henry voltasse a ser o homem robusto e vigoroso que fora antes de se tornar dono da malfadada propriedade, os dois decidiram viajar juntos ao redor do mundo.

E agora chego rapidamente à conclusão desta narrativa singular, na qual tentei fazer com que o leitor partilhasse os medos obscuros e as conjeturas vagas que toldaram nossas vidas durante tanto tempo e terminaram de maneira tão trágica. Na manhã seguinte à morte do cão, a neblina se desfizera e fomos guiados pela Sra. Stapleton até o ponto em que tinham encontrado um caminho pelo charco. Ver a ansiedade e alegria com que ela nos colocou na pista de seu marido nos ajudou a compreender o horror da vida dessa mulher. Nós a deixamos sobre a fina península de solo firme e turfoso que se adelgaçava ao penetrar no charco bem espalhado. A partir de sua extremidade, uma pequena vara fincada aqui e ali indicava os pontos em que o caminho ziguezagueava de tufo em tufo de junco entre aqueles abismos de resíduos verdes e atoleiros imundos que barravam a entrada ao estranho. Juncos viçosos e plantas aquáticas viscosas e exuberantes exalavam um odor de podridão e um pesado vapor miasmático que batia em nossas faces, enquanto um passo em falso nos mergulhou mais de uma vez até a coxa no atoleiro escuro e agitado que estremecia, num raio de metros, em suaves ondulações ao redor de nossos pés. A sua garra tenaz aderia aos nossos calcanhares, e quando afundávamos, era como se dedos malignos nos puxassem para aquelas profundezas obscenas, tão feroz e determinada era a mão que nos prendia. Só uma vez vimos um sinal de que alguém passara pelo caminho perigoso antes de nós. Dentre um tufo de grama que o mantinha fora do lodo, um objeto escuro se projetava. Holmes afundou até a cintura, quando se afastou do caminho para pegá-lo, e se não estivéssemos ao seu lado para tirá-lo da lama, ele poderia nunca mais ter posto o pé em terra firme. Segurava uma velha bota preta no ar. "Meyers, Toronto" estava impresso no couro de seu interior.

– Ela vale um banho de lama – disse ele. – É a bota desaparecida de nosso amigo Sir Henry.

– Atirada ali por Stapleton durante sua fuga.

– Exatamente. Ele a conservou na mão depois de usá-la para atiçar o cão contra Sir Henry. Fugiu quando percebeu que o jogo terminara, ainda com a bota na mão. E a jogou fora neste ponto da sua fuga. Sabemos pelo menos que ele chegou até aqui a salvo.

Porém mais do que isso nunca saberemos, embora possamos fazer muitas conjeturas. Não havia nenhuma possibilidade de encontrar pegadas no atoleiro, pois ao se mover a lama rapidamente se derramava sobre elas, mas quando chegamos por fim a um terreno mais firme além do atoleiro, todos nós procuramos ansiosamente vestígios de passos. No entanto, nossos olhos não descobriram nem o mais leve sinal de pegadas. Se a terra contava uma história verdadeira, Stapleton nunca chegara àquela ilha de refúgio que lutou para atingir em meio à neblina na noite anterior.

Em algum lugar no centro do grande atoleiro Grimpen, no fundo da lama imunda do imenso charco que o tragou, esse homem frio e cruel está enterrado para sempre.

Encontramos muitos vestígios dele na ilha rodeada de lama em que escondera o seu aliado selvagem. Um imenso motor e um poço com lixo pela metade indicavam a posição de uma mina abandonada. Ao seu lado estavam as ruínas deterioradas dos casebres dos mineiros, expulsos, sem dúvida, pelo cheiro fétido do pântano circundante. Numa das cabanas, um grampo de ferro e uma corrente, junto a vários ossos roídos, indicavam onde o animal fora confinado. Um esqueleto com um emaranhado de pelos marrons grudado em seus ossos jazia entre os escombros.

– Um cachorro! – disse Holmes. – Meu Deus, um spaniel de pelo encaracolado. O pobre Mortimer nunca mais vai ver o seu bichinho de estimação. Bem, acho que este lugar não contém nenhum segredo que já não tivéssemos descoberto. Ele escondia o cão, mas não conseguia silenciar a sua voz, e daqui vinham aqueles uivos que até à luz do dia não eram agradáveis de ouvir. Numa emergência, podia guardar o cão na casinha de Merripit, mas era sempre um risco, e foi só no dia supremo, que ele considerava ser o fim de todos os seus trabalhos, que ele ousou fazê-lo. Esta massa na lata é, sem dúvida, a mistura luminosa com que a criatura era lambuzada. Tudo lhe foi sugerido, é claro, pela história do cão diabólico da família, e pelo desejo de matar o velho Sir Charles de susto. Não é de admirar que o pobre diabo do condenado tenha corrido e gritado, como fez o nosso amigo, e como nós próprios teríamos feito, quando viu uma criatura dessas saltando pela escuridão da charneca no seu encalço. Era um estratagema astucioso, pois, além da possibilidade de causar a morte de sua vítima, que camponês se arriscaria a investigar de perto uma tal criatura, se por acaso a visse, como aconteceu a tantos, na charneca? Eu lhe disse em Londres, Watson, e repito mais uma vez, que nunca ajudamos a caçar um homem mais perigoso do que esse que está enterrado mais além – apontou com o longo braço para a imensidão matizada do charco manchado de verde que se estendia ao longe até se fundir com as encostas castanhas avermelhadas da charneca.

15. Uma Retrospectiva

Era final de novembro, e Holmes e eu estávamos sentados, numa noite fria e brumosa, ao lado de um fogo bem vivo na nossa sala de estar em Baker Street. Desde o trágico desfecho de nossa visita a Devonshire, ele se ocupara de dois casos da maior importância. No primeiro, revelara a conduta atroz do Coronel Upwood em conexão com o famoso escândalo das cartas do Clube Nonpareil, enquanto no segundo defendera a infeliz Mme. Montpensier da acusação de assassinato que pesava sobre ela em conexão com a morte de sua filha adotiva, Mlle. Carère, a jovem dama que, como será lembrado, foi encontrada seis meses mais tarde bem viva e casada em Nova York. Meu amigo estava de muito bom humor com o sucesso que tivera numa série de casos difíceis e importantes, de modo que pude induzi-lo a discutir os detalhes do mistério Baskerville. Eu esperara pacientemente essa oportunidade, pois sabia que ele nunca permitiria que os casos se sobrepusessem, e que a sua mente clara e lógica fosse afastada de seu presente trabalho para considerar lembranças do passado. Mas Sir Henry e o Dr. Mortimer estavam em Londres, a caminho daquela longa viagem que fora recomendada para restaurar os nervos despedaçados do baronete. Tinham nos visitado naquela mesma tarde, por isso era natural que o assunto surgisse no meio da conversa.

– Do ponto de vista do homem que adotou o nome de Stapleton – disse Holmes – todo o curso dos acontecimentos foi simples e inequívoco, embora para nós, que no início não tínhamos os meios de conhecer os motivos de suas ações e só podíamos perceber parte dos fatos, tudo parecesse extremamente complexo. Tive a oportunidade de conversar duas vezes com a Sra. Stapleton, e o caso ficou tão inteiramente esclarecido que não sei de nenhum dado que ainda continue obscuro para nós. Você vai encontrar algumas notas sobre a questão na letra B do meu índice de casos.

– Talvez você pudesse fazer a gentileza de me apresentar de memória um esboço do curso dos acontecimentos.

– Pois não, embora não possa garantir que tenha todos os fatos na mente. A concentração mental intensa tem um modo curioso de apagar o que passou. O advogado que conhece o seu caso na ponta dos dedos, podendo argumentar com um perito sobre o seu objeto de estudo, descobre que uma ou duas semanas no tribunal tornam a eliminar todos os dados na sua cabeça. Assim cada um de meus casos desloca o último, e Mlle. Carère borrou a minha lembrança do Solar Baskerville. Amanhã algum outro pequeno problema pode ser submetido ao meu escrutínio, que vai por sua vez desalojar a bela dama francesa e o infame Upwood. No que concerne ao caso do cão, entretanto, vou lhe dar o curso dos acontecimentos da maneira mais exata possível, e você por favor sugira qualquer coisa que eu possa ter esquecido.

– As minhas investigações mostram, sem sombra de dúvida, que o retrato de família não mentia, e que o sujeito era na verdade um Baskerville. Era filho daquele Rodger Baskerville, o irmão caçula de Sir Charles, que fugiu com uma reputação sinistra para a América do Sul, onde dizem que morreu solteiro. Na verdade, ele se casou e teve um filho, este sujeito, cujo nome real era o mesmo de seu pai. Ele se casou com Beryl Garcia, uma das beldades da Costa Rica, e depois de roubar uma soma considerável de dinheiro público, mudou o seu nome para Vandeleur e fugiu para a Inglaterra, onde estabeleceu uma escola no leste de Yorkshire. A sua razão para tentar essa linha especial de negócio foi o conhecimento que travara com um professor tísico na sua viagem de volta, e ele usou a capacidade desse homem para transformar o empreendimento num sucesso. Mas Fraser, o professor, morreu, e a escola que começara tão bem decaiu, passando da má reputação para o total descrédito. Os Vandeleur acharam conveniente mudar o seu nome para Stapleton, e ele levou o que restava de sua fortuna, os seus planos para o futuro e o seu interesse por entomologia para o sul da Inglaterra. Descobri no *British Museum* que ele era uma autoridade reconhecida no assunto, e que o nome de Vandeleur ficou permanentemente ligado a uma certa mariposa que ele, nos seus tempos de Yorkshire, fora o primeiro a descrever.

– Chegamos agora àquela parte da sua vida que mostrou ter um interesse tão intenso para nós. O sujeito tinha evidentemente feito investigações e descoberto que apenas duas vidas se interpunham entre ele e uma herança valiosa. Quando foi para Devonshire, os seus planos eram, acredito, extremamente vagos, mas que suas intenções visavam ao mal desde o início fica evidente pelo fato de ter levado a esposa no papel de irmã. A ideia de usá-la como chamariz já estava bem clara na sua mente, embora talvez não soubesse ao certo como os detalhes da trama seriam arranjados. Pretendia ficar com a herança no final, e estava pronto a usar qualquer meio ou a correr qualquer risco para esse fim. O seu primeiro ato foi fixar residência o mais perto possível do seu lar ancestral, e o seu segundo ato foi cultivar a amizade de Sir Charles Baskerville e seus vizinhos.

– Foi o próprio baronete que lhe contou sobre o cão da família, e assim preparou a sua própria morte. Stapleton, como vou continuar a chamá-lo, sabia que o coração do velho estava fraco e que um choque o mataria. O Dr. Mortimer lhe passara essas informações. Também ficara sabendo que Sir Charles era supersticioso e levava a sério a lenda sombria. A sua mente engenhosa logo imaginou um meio de matar o baronete, sem que fosse possível acusar o verdadeiro assassino.

– Depois de conceber a ideia, passou a realizá-la com considerável refinamento. Um planejador vulgar teria se contentado em trabalhar com um cão selvagem. O uso de meios artificiais para tornar a criatura diabólica foi um lampejo de gênio da sua parte. O cão, ele o comprou em Londres de Ross e Mangles, os negociantes em Fulham Road. Era o mais forte e o mais selvagem que tinham. Ele o levou pela linha de North Devon, e percorreu a pé uma longa distância pela charneca, para fazê-lo chegar ao seu destino sem despertar comentários. Nas suas caçadas aos insetos, já tinha aprendido a entrar no atoleiro Grimpen, e por isso tinha um esconderijo seguro para a criatura. Ele o guardou ali, e esperou a sua chance.

– Mas ela custou a chegar. Era difícil tirar o velho cavalheiro de casa à noite. Várias vezes Stapleton andou à espreita com o seu cão, mas em vão. Foi durante essas buscas infrutíferas que ele, ou melhor seu cúmplice, foi visto pelos camponeses, e que a lenda do cão demoníaco recebeu nova confirmação. Ele tinha esperado que a sua mulher pudesse atrair Sir Charles para a morte, mas nesse ponto ela se mostrou inesperadamente independente. Nada faria para enredar o velho cavalheiro numa ligação amorosa que o pudesse deixar à mercê de seu inimigo. Ameaças e até, lamento dizer, surras não conseguiram demovê-la. Ela não queria ter nada a ver com a questão, e por algum tempo Stapleton se viu diante de um impasse.

– Descobriu um modo de superar essas dificuldades, quando por acaso Sir Charles, que estabelecera uma amizade com seu vizinho, o usou como instrumento de caridade no caso dessa infeliz mulher, a Sra. Laura Lyons. Apresentando-se como homem solteiro, Stapleton adquiriu total influência sobre ela, dando-lhe a entender que, se ela obtivesse o divórcio de seu marido, ele se casaria com ela. Os seus planos chegaram de repente a um momento decisivo, quando ficou sabendo que Sir Charles estava prestes a deixar o Solar a conselho do Dr. Mortimer, cuja opinião ele fingia aprovar. Devia agir imediatamente, senão a sua vítima poderia ficar fora do seu alcance. Por isso, pressionou a Sra. Lyons a escrever aquela carta, implorando que o velho lhe concedesse uma entrevista na noite antes de sua partida para Londres. Depois, por meio de argumentos capciosos, impediu que ela comparecesse ao encontro, e assim conseguiu a oportunidade que tinha esperado.

– Voltando naquela noite de Coombe Tracey, chegou a tempo de pegar o cão, lambuzá-lo com a tinta infernal e levá-lo para junto do portão, onde tinha razões para crer que encontraria o velho cavalheiro à espera. O cão, atiçado pelo dono, pulou sobre a cancela e perseguiu o infeliz baronete, que fugiu gritando pela Aleia dos Teixos. Naquele túnel sombrio, deve ter sido realmente terrível ver aquela imensa criatura preta, com as mandíbulas flamejantes e os olhos ardentes, saltando atrás de sua vítima. Sir Charles caiu morto no final da aleia, vitimado pela doença do coração e pelo terror. O cão se mantivera sobre a faixa de grama, enquanto o baronete correra pelo caminho, por isso só as pegadas do homem eram visíveis. Ao vê-lo estirado no chão, a criatura provavelmente se aproximou para cheirá-lo, mas, descobrindo que estava morto, voltou a se afastar. Foi então que deixou a pegada que o Dr. Mortimer mais tarde observou. O cão foi chamado e levado às pressas para a sua toca no atoleiro Grimpen, e criou-se um mistério que confundiu as autoridades, alarmou a região, e finalmente fez com que o caso fosse submetido ao nosso escrutínio.

– É o bastante sobre a morte de Sir Charles Baskerville. Você percebe a astúcia diabólica do plano, pois realmente seria quase impossível acusar o verdadeiro assassino. O seu único cúmplice nunca o trairia, e a natureza grotesca e inconcebível do ardil só servia para torná-lo mais eficaz. As duas mulheres relacionadas com o caso, a Sra. Stapleton e a Sra. Lyons, ficaram com uma forte suspeita a respeito de

Stapleton. A Sra. Stapleton sabia que ele tinha planos contra o velho, e também conhecia a existência do cão. A Sra. Lyons não sabia de nada disso, mas ficara impressionada pelo fato de a morte ter ocorrido na hora de um encontro não cancelado, que só ele conhecia. Entretanto, ambas estavam sob a sua influência, e ele não tinha nada a recear da parte delas. A primeira metade da sua tarefa fora bem-sucedida, mas ainda faltava a parte mais difícil.

– É possível que Stapleton não soubesse da existência de um herdeiro no Canadá. De qualquer modo, logo ficou sabendo disso pelo seu amigo Dr. Mortimer, que lhe informou todos os detalhes sobre a chegada de Henry Baskerville. A primeira ideia de Stapleton foi que esse jovem estrangeiro do Canadá poderia ser eliminado em Londres, sem nem sequer chegar a Devonshire. Desde que ela não quisera ajudá-lo a criar a armadilha para o velho, ele não confiava na esposa e não ousava deixá-la por muito tempo longe dos seus olhos, por medo de perder a influência que tinha sobre a sua pessoa. Foi por essa razão que ele a levou junto para Londres. Eles ficaram hospedados, pelo que descobri, no Mexborough Private Hotel, em Craven Street, um dos que foram visitados pelo meu agente em busca de evidências. Ali ele manteve a esposa aprisionada no quarto, enquanto ele, disfarçado com uma barba, seguia o Dr. Mortimer até Baker Street, e mais tarde até a estação e ao Northumberland Hotel. A sua esposa tinha uma vaga ideia de seus planos, mas tinha um tal medo do marido, um medo fundado em maus tratos brutais, que não ousava escrever para alertar o homem que ela sabia estar em perigo. Se a carta caísse nas mãos de Stapleton, a sua própria vida não estaria segura. Finalmente, como sabemos, ela adotou o expediente de recortar as palavras que formariam a mensagem, e de endereçar a carta com uma letra disfarçada. A carta chegou às mãos do baronete e lhe deu o primeiro aviso do perigo.

– Era essencial que Stapleton conseguisse algum artigo da indumentária de Sir Henry, para que, se fosse obrigado a usar o cão, tivesse o meio de atiçá-lo e colocá-lo no rastro da vítima. Com presteza e ousadia características, ele cuidou disso imediatamente, e não duvido que o engraxate ou a camareira do hotel foram bem subornados para ajudá-lo a realizar o seu plano. Mas, por acaso, a primeira bota que lhe foi entregue era nova e, portanto, imprestável para os seus fins. Por isso, mandou que a devolvessem e conseguissem outra. Um incidente muito instrutivo, porque provou definitivamente para o meu raciocínio que estávamos lidando com um cão real, pois nenhuma outra suposição podia explicar essa ansiedade de obter uma bota velha, nem a indiferença em relação à nova. Quanto mais *outré* e grotesco é um incidente, mais cuidadoso deve ser o seu exame, e o ponto que parece complicar um caso é, quando devidamente considerado e cientificamente tratado, aquele que tem mais probabilidade de elucidá-lo.

– Depois tivemos a visita de nossos amigos na manhã seguinte, sempre seguidos por Stapleton no carro de aluguel. Pelo fato de ele conhecer a nossa residência e a minha aparência, bem como pela sua conduta geral, eu me inclino a pensar que a carreira de crimes de Stapleton não se limitou absolutamente a este caso Baskerville. É sugestivo que, durante os últimos três anos, tenham ocorrido quatro grandes arrombamentos no West Country, e que nenhum dos autores desses crimes tenha sido preso. O último, que ocorreu em maio em Folkestone Court, ficou famoso pelo assassinato a sangue frio do pajem que surpreendeu o ladrão mascarado e solitário. Não duvido que Stapleton tenha reabastecido seus recursos já escassos dessa maneira, e que durante anos ele tenha sido um homem temerário e perigoso.

– Tivemos um exemplo da presteza de seu engenho naquela manhã em que ele escapou de nossa perseguição com tanto sucesso, e também da sua audácia, quando me enviou o meu próprio nome pelo cocheiro do carro de aluguel. A partir daquele momento, compreendeu que eu assumira o caso em Londres, e que ele não teria chances na cidade. Retornou a Dartmoor e esperou a chegada do baronete.

– Espere um momento! – disse eu. – Você descreveu corretamente a sequência de acontecimentos, sem dúvida nenhuma, mas há um ponto que deixou sem explicação. Quem cuidava do cão, quando seu dono estava em Londres?

– Pensei um pouco sobre essa questão, que é certamente importante. Não há dúvida de que Stapleton tinha uma pessoa de confiança, embora seja improvável que tivesse cometido o erro de ficar à sua mercê, contando-lhe todos os seus planos. Havia um velho criado em Merripit House, de nome Anthony. A sua ligação com os Stapleton datava de vários anos, desde os tempos da escola em Yorkshire, de modo que ele devia saber que o seu patrão e a sua patroa eram na verdade marido e mulher. Esse homem desapareceu e fugiu do país. É sugestivo que Anthony não é um nome comum na Inglaterra, ao passo que Antônio é popular em toda a Espanha e nos países hispano-americanos. Como a própria Sra. Stapleton, o homem falava bem inglês, mas com um curioso ceceio na pronúncia. Eu próprio vi esse velho cruzar o atoleiro Grimpen pelo caminho que Stapleton marcara. É muito provável, portanto, que, na ausência de seu patrão, fosse ele que cuidasse do cão, embora talvez não soubesse para que fins o animal era usado.

– Os Stapleton foram então para Devonshire, sendo logo seguidos por Sir Henry e você. Agora uma palavra quanto à minha posição nessa época. Talvez você se lembre de que, ao examinar o papel em que estavam grudadas as palavras impressas, fiz uma inspeção minuciosa à procura da marca d'água. Ao fazê-lo, ergui o papel a alguns centímetros dos meus olhos, e senti um leve aroma do perfume conhecido como jasmim branco. Existem 65 perfumes, sendo muito necessário que o perito criminal saiba distinguir entre eles, pois, segundo minha própria experiência, a solução de muitos casos depende de seu pronto reconhecimento. O perfume sugeria a presença de uma dama, e já os meus pensamentos começavam a se voltar para os Stapleton. Assim, eu já me certificara da existência do cão, e adivinhara o criminoso, antes mesmo de irmos para o West Country.

– O meu jogo era observar Stapleton. Evidente, no entanto, que não poderia fazê-lo estando com vocês, pois ele ficaria fortemente na defensiva. Enganei todo mundo, portanto, inclusive você, e fui às escondidas para Devonshire, quando devia estar supostamente em Londres. As minhas privações não foram tão grandes como você imagina, embora esses detalhes triviais jamais devam interferir com a investigação de um caso. Passei a maior parte do tempo em Coombe Tracey, e só usei a cabana na charneca quando era necessário estar perto da cena da ação. Cartwright foi comigo e, com seu disfarce de menino camponês, me ajudou muito. Era por meio dele que eu conseguia comida e roupas limpas. Enquanto eu observava Stapleton, Cartwright estava frequentemente observando vocês, de modo que assim eu podia manipular todos os fios.

– Já lhe disse que todos os seus relatórios chegavam às minhas mãos com bastante rapidez, pois eram despachados imediatamente de Baker Street para Coombe Tracey. Eles me prestaram enormes serviços, especialmente aquele com o trecho incidentalmente verdadeiro da biografia dos Stapleton. Consegui estabelecer a identidade do homem e da mulher, e fiquei sabendo por fim em que chão estava pisando. O caso se complicou consideravelmente com o incidente do condenado fugitivo e as relações dele com os Barrymore. Tudo isso você esclareceu de modo muito eficiente, embora eu já tivesse chegado às mesmas conclusões pelas minhas observações.

– Na época em que você me descobriu na charneca, eu tinha um conhecimento completo de toda a história, mas não tinha um caso que pudesse apresentar perante um júri. Mesmo a tentativa de Stapleton contra Sir Henry naquela noite, que terminou com a morte do infeliz condenado, não nos ajudava a provar homicídio contra o nosso homem. Não parecia haver alternativa senão pegá-lo com a boca na botija, e para isso tínhamos de usar Sir Henry, sozinho e aparentemente desprotegido, como isca. Foi o que fizemos e, ao preço de um severo choque em nosso cliente, conseguimos elucidar o caso e destruir Stapleton. Que Sir Henry tenha sido exposto a esse perigo é, devo confessar, uma censura à forma como tratei do caso, mas não tínhamos meios de prever o espetáculo terrível e apavorador que o animal oferecia, nem podíamos predizer a neblina que lhe permitiu saltar sobre nós de forma tão inesperada. Alcançamos nosso objetivo a um custo que tanto o especialista como o Dr. Mortimer me asseguram será temporário. Uma longa viagem pode fazer com que nosso amigo não só se recupere de seus nervos despedaçados, mas também de seus sentimentos magoados. O seu amor pela dama era profundo e sincero, e para ele a parte mais infeliz de toda essa história negra foi ter sido enganado por ela.

– Agora resta apenas indicar o papel que ela desempenhou durante toda a história. Não há dúvida de que Stapleton exercia uma influência sobre ela que talvez fosse amor ou talvez fosse medo, ou muito possivelmente ambos, pois não são de modo algum sentimentos incompatíveis. Era, pelo menos, inteiramente eficaz. Obedecendo suas ordens, ela consentiu em passar por sua irmã, embora ele tivesse descoberto os limites de seu poder, quando tentou transformá-la em cúmplice de homicídio. Ela estava disposta a alertar Sir Henry, desde que isso não comprometesse o marido, e mais de uma vez tentou lhe dar o aviso. O próprio Stapleton parece ter sido capaz de sentir ciúme, pois quando viu o baronete fazendo a corte à dama, mesmo que a cena fizesse parte de seu plano, não pôde deixar de interrompê-la com uma explosão apaixonada, que traiu a alma ardente que as suas maneiras contidas ocultavam tão sabiamente. Encorajando a intimidade, ele se assegurava de que Sir Henry faria constantes visitas a Merripit House, e que mais dia, menos dia apareceria a oportunidade que desejava. No dia crítico, entretanto, a sua esposa se virou de repente contra ele. Ela ficara sabendo alguma coisa da morte do condenado, e sabia que o cão estava na casinha do pomar na noite em que Sir Henry viria jantar. Acusou o marido de ter a intenção de cometer um crime, e seguiu-se uma cena furiosa, em que ele lhe revelou pela primeira vez que ela tinha uma rival. A sua fidelidade se transformou como que por encanto em ódio amargo, e ele compreendeu que ela o trairia. Por isso a amarrou, para que ela não tivesse nenhuma chance de avisar Sir Henry, esperando, sem dúvida, que no momento em que toda a região pusesse a culpa da morte de Sir Henry na maldição de sua família, como todos certamente fariam, conseguiria ganhar de volta a confiança da mulher, obrigando-a a aceitar um fato consumado e a calar o que sabia. Sobre esse ponto específico, imagino que fez um cálculo errado, e que, independentemente de nossa ação, o seu destino já estava decidido. Uma mulher de sangue espanhol não perdoa uma ofensa dessas tão facilmente. E agora, meu caro Watson, sem utilizar as minhas notas, não posso lhe dar relato mais detalhado desse caso curioso. Não sei de nenhum dado essencial que não tenha sido explicado.

– Ele não podia esperar que Sir Henry morresse de susto, como o tio, ao ver o seu cão demônio.

— O animal era selvagem e mal nutrido. Se a sua aparição não matasse a vítima de susto, paralisaria pelo menos qualquer resistência que pudesse ser oferecida.

— Sem dúvida. Resta apenas uma dificuldade. Se Stapleton recebesse a herança, como é que explicaria o fato de ele, o herdeiro, ter vivido clandestinamente com outro nome tão perto da propriedade? Como poderia reivindicá-la sem despertar suspeitas e inquéritos?

— É uma dificuldade formidável, e receio que esteja pedindo demais, se espera que eu a resolva. O passado e o presente estão dentro do meu campo de investigações, mas o que um homem pode fazer no futuro é uma pergunta difícil de responder. A Sra. Stapleton ouviu o marido discutir o problema em várias ocasiões. Havia três alternativas possíveis. Ele poderia reivindicar a propriedade na América do Sul, estabelecer ali a sua identidade perante as autoridades britânicas, e assim conseguir a fortuna sem jamais vir para a Inglaterra. Ou poderia adotar um disfarce elaborado durante o curto período em que precisasse estar em Londres. Ou ainda poderia dar a um cúmplice todas as provas e documentos, apresentando-o como herdeiro e conservando o direito à parte de sua renda. Pelo que conheço do homem, não duvido que teria encontrado uma saída para essa dificuldade. E agora, meu caro Watson, tivemos algumas semanas de trabalho duro, e hoje à noite, pelo menos, acho que podemos voltar nossos pensamentos para canais mais agradáveis. Tenho um camarote para *Les Huguenots*. Já escutou De Reszkes? Faria o favor de estar pronto em meia hora, pois poderíamos parar no Marcini's para um pequeno jantar a caminho do teatro?

Coleção **L&PM** POCKET

1080. **Pedaços de um caderno manchado de vinho** – Bukowski
1081. **A ferro e fogo: tempo de solidão (vol.1)** – Josué Guimarães
1082. **A ferro e fogo: tempo de guerra (vol.2)** – Josué Guimarães
1084.(17).**Desembarcando o Alzheimer** – Dr. Fernando Lucchese e Dra. Ana Hartmann
1085. **A maldição do espelho** – Agatha Christie
1086. **Uma breve história da filosofia** – Nigel Warburton
1088. **Heróis da História** – Will Durant
1089. **Concerto campestre** – L. A. de Assis Brasil
1090. **Morte nas nuvens** – Agatha Christie
1092. **Aventura em Bagdá** – Agatha Christie
1093. **O cavalo amarelo** – Agatha Christie
1094. **O método de interpretação dos sonhos** – Freud
1095. **Sonetos de amor e desamor** – Vários
1096. **120 tirinhas do Dilbert** – Scott Adams
1097. **200 fábulas de Esopo**
1098. **O curioso caso de Benjamin Button** – F. Scott Fitzgerald
1099. **Piadas para sempre: uma antologia para morrer de rir** – Visconde da Casa Verde
1100. **Hamlet (Mangá)** – Shakespeare
1101. **A arte da guerra (Mangá)** – Sun Tzu
1104. **As melhores histórias da Bíblia (vol.1)** – A. S. Franchini e Carmen Seganfredo
1105. **As melhores histórias da Bíblia (vol.2)** – A. S. Franchini e Carmen Seganfredo
1106. **Psicologia das massas e análise do eu** – Freud
1107. **Guerra Civil Espanhola** – Helen Graham
1108. **A autoestrada do sul e outras histórias** – Julio Cortázar
1109. **O mistério dos sete relógios** – Agatha Christie
1110. **Peanuts: Ninguém gosta de mim... (amor)** – Charles Schulz
1111. **Cadê o bolo?** – Mauricio de Sousa
1112. **O filósofo ignorante** – Voltaire
1113. **Totem e tabu** – Freud
1114. **Filosofia pré-socrática** – Catherine Osborne
1115. **Desejo de status** – Alain de Botton
1118. **Passageiro para Frankfurt** – Agatha Christie
1120. **Kill All Enemies** – Melvin Burgess
1121. **A morte da sra. McGinty** – Agatha Christie
1122. **Revolução Russa** – S. A. Smith
1123. **Até você, Capitu?** – Dalton Trevisan
1124. **O grande Gatsby (Mangá)** – F. S. Fitzgerald
1125. **Assim falou Zaratustra (Mangá)** – Nietzsche
1126. **Peanuts: É para isso que servem os amigos (amizade)** – Charles Schulz
1127.(27).**Nietzsche** – Dorian Astor
1128. **Bidu: Hora do banho** – Mauricio de Sousa
1129. **O melhor das Macanudo Taurino** – Santiago
1130. **Radicci 30 anos** – Iotti
1131. **Show de sabores** – J.A. Pinheiro Machado
1132. **O prazer das palavras** – vol. 3 – Cláudio Moreno
1133. **Morte na praia** – Agatha Christie
1134. **O fardo** – Agatha Christie
1135. **Manifesto do Partido Comunista (Mangá)** – Marx & Engels
1136. **A metamorfose (Mangá)** – Franz Kafka
1137. **Por que você não se casou... ainda** – Tracy McMillan
1138. **Textos autobiográficos** – Bukowski
1139. **A importância de ser prudente** – Oscar Wilde
1140. **Sobre a vontade na natureza** – Arthur Schopenhauer
1141. **Dilbert (8)** – Scott Adams
1142. **Entre dois amores** – Agatha Christie
1143. **Cipreste triste** – Agatha Christie
1144. **Alguém viu uma assombração?** – Mauricio de Sousa
1145. **Mandela** – Elleke Boehmer
1146. **Retrato do artista quando jovem** – James Joyce
1147. **Zadig ou o destino** – Voltaire
1148. **O contrato social (Mangá)** – J.-J. Rousseau
1149. **Garfield fenomenal** – Jim Davis
1150. **A queda da América** – Allen Ginsberg
1151. **Música na noite & outros ensaios** – Aldous Huxley
1152. **Poesias inéditas & Poemas dramáticos** – Fernando Pessoa
1153. **Peanuts: Felicidade é...** – Charles M. Schulz
1154. **Mate-me por favor** – Legs McNeil e Gillian McCain
1155. **Assassinato no Expresso Oriente** – Agatha Christie
1156. **Um punhado de centeio** – Agatha Christie
1157. **A interpretação dos sonhos (Mangá)** – Freud
1158. **Peanuts: Você não entende o sentido da vida** – Charles M. Schulz
1159. **A dinastia Rothschild** – Herbert R. Lottman
1160. **A Mansão Hollow** – Agatha Christie
1161. **Nas montanhas da loucura** – H.P. Lovecraft
1162.(28).**Napoleão Bonaparte** – Pascale Fautrier
1163. **Um corpo na biblioteca** – Agatha Christie
1164. **Inovação** – Mark Dodgson e David Gann
1165. **O que toda mulher deve saber sobre os homens: a afetividade masculina** – Walter Riso
1166. **O amor está no ar** – Mauricio de Sousa
1167. **Testemunha de acusação & outras histórias** – Agatha Christie
1168. **Etiqueta de bolso** – Celia Ribeiro
1169. **Poesia reunida (volume 3)** – Affonso Romano de Sant'Anna
1170. **Emma** – Jane Austen
1171. **Que seja em segredo** – Ana Miranda
1172. **Garfield sem apetite** – Jim Davis
1173. **Garfield: Foi mal...** – Jim Davis
1174. **Os irmãos Karamázov (Mangá)** – Dostoiévski
1175. **O Pequeno Príncipe** – Antoine de Saint-Exupéry
1176. **Peanuts: Ninguém mais tem o espírito aventureiro** – Charles M. Schulz
1177. **Assim falou Zaratustra** – Nietzsche

1178. Morte no Nilo – Agatha Christie
1179. Ê, soneca boa – Mauricio de Sousa
1180. Garfield a todo o vapor – Jim Davis
1181. Em busca do tempo perdido (Mangá) – Proust
1182. Cai o pano: o último caso de Poirot – Agatha Christie
1183. Livro para colorir e relaxar – Livro 1
1184. Para colorir sem parar
1185. Os elefantes não esquecem – Agatha Christie
1186. Teoria da relatividade – Albert Einstein
1187. Compêndio da psicanálise – Freud
1188. Visões de Gerard – Jack Kerouac
1189. Fim de verão – Mohiro Kitoh
1190. Procurando diversão – Mauricio de Sousa
1191. E não sobrou nenhum e outras peças – Agatha Christie
1192. Ansiedade – Daniel Freeman & Jason Freeman
1193. Garfield: pausa para o almoço – Jim Davis
1194. Contos do dia e da noite – Guy de Maupassant
1195. O melhor de Hagar 7 – Dik Browne
1196. (29). Lou Andreas-Salomé – Dorian Astor
1197. (30). Pasolini – René de Ceccatty
1198. O caso do Hotel Bertram – Agatha Christie
1199. Crônicas de motel – Sam Shepard
1200. Pequena filosofia da paz interior – Catherine Rambert
1201. Os sertões – Euclides da Cunha
1202. Treze à mesa – Agatha Christie
1203. Bíblia – John Riches
1204. Anjos – David Albert Jones
1205. As tirinhas do Guri de Uruguaiana 1 – Jair Kobe
1206. Entre aspas (vol.1) – Fernando Eichenberg
1207. Escrita – Andrew Robinson
1208. O spleen de Paris: pequenos poemas em prosa – Charles Baudelaire
1209. Satíricon – Petrônio
1210. O avarento – Molière
1211. Queimando na água, afogando-se na chama – Bukowski
1212. Miscelânea septuagenária: contos e poemas – Bukowski
1213. Que filosofar é aprender a morrer e outros ensaios – Montaigne
1214. Da amizade e outros ensaios – Montaigne
1215. O medo à espreita e outras histórias – H.P. Lovecraft
1216. A obra de arte na era de sua reprodutibilidade técnica – Walter Benjamin
1217. Sobre a liberdade – John Stuart Mill
1218. O segredo de Chimneys – Agatha Christie
1219. Morte na rua Hickory – Agatha Christie
1220. Ulisses (Mangá) – James Joyce
1221. Ateísmo – Julian Baggini
1222. Os melhores contos de Katherine Mansfield – Katherine Mansfield
1223. (31). Martin Luther King – Alain Foix
1224. Millôr Definitivo: uma antologia de *A Bíblia do Caos* – Millôr Fernandes
1225. O Clube das Terças-Feiras e outras histórias – Agatha Christie
1226. Por que sou tão sábio – Nietzsche
1227. Sobre a mentira – Platão
1228. Sobre a leitura *seguido do* Depoimento de Céleste Albaret – Proust
1229. O homem do terno marrom – Agatha Christie
1230. (32). Jimi Hendrix – Franck Médioni
1231. Amor e amizade e outras histórias – Jane Austen
1232. Lady Susan, Os Watson e Sanditon – Jane Austen
1233. Uma breve história da ciência – William Bynum
1234. Macunaíma: o herói sem nenhum caráter – Mário de Andrade
1235. A máquina do tempo – H.G. Wells
1236. O homem invisível – H.G. Wells
1237. Os 36 estratagemas: manual secreto da arte da guerra – Anônimo
1238. A mina de ouro e outras histórias – Agatha Christie
1239. Pic – Jack Kerouac
1240. O habitante da escuridão e outros contos – H.P. Lovecraft
1241. O chamado de Cthulhu e outros contos – H.P. Lovecraft
1242. O melhor de Meu reino por um cavalo! – Edição de Ivan Pinheiro Machado
1243. A guerra dos mundos – H.G. Wells
1244. O caso da criada perfeita e outras histórias – Agatha Christie
1245. Morte por afogamento e outras histórias – Agatha Christie
1246. Assassinato no Comitê Central – Manuel Vázquez Montalbán
1247. O papai é pop – Marcos Piangers
1248. O papai é pop 2 – Marcos Piangers
1249. A mamãe é rock – Ana Cardoso
1250. Paris boêmia – Dan Franck
1251. Paris libertária – Dan Franck
1252. Paris ocupada – Dan Franck
1253. Uma anedota infame – Dostoiévski
1254. O último dia de um condenado – Victor Hugo
1255. Nem só de caviar vive o homem – J.M. Simmel
1256. Amanhã é outro dia – J.M. Simmel
1257. Mulherzinhas – Louisa May Alcott
1258. Reforma Protestante – Peter Marshall
1259. História econômica global – Robert C. Allen
1260. (33). Che Guevara – Alain Foix
1261. Câncer – Nicholas James
1262. Akhenaton – Agatha Christie
1263. Aforismos para a sabedoria de vida – Arthur Schopenhauer
1264. Uma história do mundo – David Coimbra
1265. Ame e não sofra – Walter Riso
1266. Desapegue-se! – Walter Riso
1267. Os Sousa: Uma família do barulho – Mauricio de Sousa
1268. Nico Demo: O rei da travessura – Mauricio de Sousa
1269. Testemunha de acusação e outras peças – Agatha Christie

1270(34).**Dostoiévski** – Virgil Tanase
1271.**O melhor de Hagar 8** – Dik Browne
1272.**O melhor de Hagar 9** – Dik Browne
1273.**O melhor de Hagar 10** – Dik e Chris Browne
1274.**Considerações sobre o governo representativo** – John Stuart Mill
1275.**O homem Moisés e a religião monoteísta** – Freud
1276.**Inibição, sintoma e medo** – Freud
1277.**Além do princípio de prazer** – Freud
1278.**O direito de dizer não!** – Walter Riso
1279.**A arte de ser flexível** – Walter Riso
1280.**Casados e descasados** – August Strindberg
1281.**Da Terra à Lua** – Júlio Verne
1282.**Minhas galerias e meus pintores** – Kahnweiler
1283.**A arte do romance** – Virginia Woolf
1284.**Teatro completo v. 1: As aves da noite** seguido de **O visitante** – Hilda Hilst
1285.**Teatro completo v. 2: O verdugo** seguido de **A morte do patriarca** – Hilda Hilst
1286.**Teatro completo v. 3: O rato no muro** seguido de **Auto da barca de Camiri** – Hilda Hilst
1287.**Teatro completo v. 4: A empresa** seguido de **O novo sistema** – Hilda Hilst
1289.**Fora de mim** – Martha Medeiros
1290.**Divã** – Martha Medeiros
1291.**Sobre a genealogia da moral: um escrito polêmico** – Nietzsche
1292.**A consciência de Zeno** – Italo Svevo
1293.**Células-tronco** – Jonathan Slack
1294.**O fim do ciúme e outros contos** – Proust
1295.**A jangada** – Júlio Verne
1296.**A ilha do dr. Moreau** – H.G. Wells
1297.**Ninho de fidalgos** – Ivan Turguêniev
1298.**Jane Eyre** – Charlotte Brontë
1299.**Sobre gatos** – Bukowski
1300.**Sobre o amor** – Bukowski
1301.**Escrever para não enlouquecer** – Bukowski
1302.**222 receitas** – J. A. Pinheiro Machado
1303.**Reinações de Narizinho** – Monteiro Lobato
1304.**O Saci** – Monteiro Lobato
1305.**Memórias da Emília** – Monteiro Lobato
1306.**O Picapau Amarelo** – Monteiro Lobato
1307.**A reforma da Natureza** – Monteiro Lobato
1308.**Fábulas** seguido de **Histórias diversas** – Monteiro Lobato
1309.**Aventuras de Hans Staden** – Monteiro Lobato
1310.**Peter Pan** – Monteiro Lobato
1311.**Dom Quixote das crianças** – Monteiro Lobato
1312.**O Minotauro** – Monteiro Lobato
1313.**Um quarto só seu** – Virginia Woolf
1314.**Sonetos** – Shakespeare
1315(35).**Thoreau** – Marie Bethoumieu e Laura El Makki
1316.**Teoria da arte** – Cynthia Freeland
1317.**A arte da prudência** – Baltasar Gracián
1318.**O louco** seguido de **Areia e espuma** – Khalil Gibran
1319.**O profeta** seguido de **O jardim do profeta** – Khalil Gibran
1320.**Jesus, o Filho do Homem** – Khalil Gibran
1321.**A luta** – Norman Mailer
1322.**Sobre o sofrimento do mundo e outros ensaios** – Schopenhauer
1323.**Epidemiologia** – Rodolfo Sacacci
1324.**Japão moderno** – Christopher Goto-Jones
1325.**A arte da meditação** – Matthieu Ricard
1326.**O adversário secreto** – Agatha Christie
1327.**Pollyanna** – Eleanor H. Porter
1328.**Espelhos** – Eduardo Galeano
1329.**A Vênus das peles** – Sacher-Masoch
1330.**O 18 de brumário de Luís Bonaparte** – Karl Marx
1331.**Um jogo para os vivos** – Patricia Highsmith
1332.**A tristeza pode esperar** – J.J. Camargo
1333.**Vinte poemas de amor e uma canção desesperada** – Pablo Neruda
1334.**Judaísmo** – Norman Solomon
1335.**Esquizofrenia** – Christopher Frith & Eve Johnstone
1336.**Seis personagens em busca de um autor** – Luigi Pirandello
1337.**A Fazenda dos Animais** – George Orwell
1338.**1984** – George Orwell
1339.**Ubu Rei** – Alfred Jarry
1340.**Sobre bêbados e bebidas** – Bukowski
1341.**Tempestade para os vivos e para os mortos** – Bukowski
1342.**Complicado** – Natsume Ono
1343.**Sobre o livre-arbítrio** – Schopenhauer
1344.**Uma breve história da literatura** – John Sutherland
1345.**Você fica tão sozinho às vezes que até faz sentido** – Bukowski
1346.**Um apartamento em Paris** – Guillaume Musso
1347.**Receitas fáceis e saborosas** – José Antonio Pinheiro Machado
1348.**Por que engordamos** – Gary Taubes
1349.**A fabulosa história do hospital** – Jean-Noël Fabiani
1350.**Voo noturno** seguido de **Terra dos homens** – Antoine de Saint-Exupéry
1351.**Doutor Sax** – Jack Kerouac
1352.**O livro do Tao e da virtude** – Lao-Tsé
1353.**Pista negra** – Antonio Manzini
1354.**A chave de vidro** – Dashiell Hammett
1355.**Martin Eden** – Jack London
1356.**Já te disse adeus, e agora, como te esqueço?** – Walter Riso
1357.**A viagem do descobrimento** – Eduardo Bueno
1358.**Náufragos, traficantes e degredados** – Eduardo Bueno
1359.**Retrato do Brasil** – Paulo Prado
1360.**Maravilhosamente imperfeito, escandalosamente feliz** – Walter Riso
1361.**É...** – Millôr Fernandes
1362.**Duas tábuas e uma paixão** – Millôr Fernandes
1363.**Selma e Sinatra** – Martha Medeiros
1364.**Tudo que eu queria te dizer** – Martha Medeiros
1365.**Várias histórias** – Machado de Assis

lepmeditores
www.lpm.com.br
o site que conta tudo

IMPRESSÃO:

PALLOTTI
GRÁFICA

Santa Maria - RS | Fone: (55) 3220.4500
www.graficapallotti.com.br